MW00849486

Maryse Condé

Maryse Condé est née en Guadeloupe en 1937. Elle a étudié à Paris, avant de vivre en Afrique – notamment au Mali – d'où elle a tiré l'inspiration de son best-seller *Ségou* (Robert Laffont, 1985). Ses romans lui ont valu de nombreux prix, notamment pour *Moi, Tituba sorcière* (grand prix de la littérature de la Femme, 1986) et *La Vie scélérate* (prix Anaïs-Ségalas de l'Académie française, 1988).
En 1993, Maryse Condé a été la première femme à recevoir le prix Putterbaugh décerné aux États-Unis à un écrivain de langue française. Lus dans le monde entier, ses romans s'interrogent sur une mémoire hantée par l'esclavage et le colonialisme, et, pour les descendants des exilés, sur une recherche identitaire. En témoignent, entre autres, *La Migration des cœurs* (1995), *Desirada* (1997) et *Célanire cou-coupé* (2000). Elle a récemment publié *En attendant la montée des eaux* (Lattès, 2010), qui a reçu le Grand Prix du Roman Métis, et *La Vie sans fards* (Lattès, 2012).
Après de nombreuses années d'enseignement à l'université de Columbia à New York, elle partage aujourd'hui son temps entre la Guadeloupe et New York. Elle a initié la création du prix des Amériques insulaires et de la Guyane qui récompense le meilleur ouvrage de littérature antillaise.

LA VIE SANS FARDS

DU MÊME AUTEUR
CHEZ POCKET

LE CŒUR À RIRE ET À PLEURER
EN ATTENDANT LA MONTÉE DES EAUX
LA VIE SANS FARDS

SÉGOU

1. LES MURAILLES DE TERRE
2. LA TERRE EN MIETTES

MARYSE CONDÉ

LA VIE SANS FARDS

JC LATTÈS

Pocket, une marque d'Univers Poche,
est un éditeur qui s'engage pour la préservation
de son environnement et qui utilise du papier fabriqué
à partir de bois provenant de forêts gérées
de manière responsable.

Le Code de la propriété intellectuelle n'autorisant, aux termes de l'article L. 122-5, 2° et 3° a, d'une part, que les « copies ou reproductions strictement réservées à l'usage privé du copiste et non destinées à une utilisation collective » et, d'autre part, que les analyses et les courtes citations dans un but d'exemple et d'illustration, « toute représentation ou reproduction intégrale ou partielle faite sans le consentement de l'auteur ou de ses ayants droit ou ayants cause est illicite » (art. L. 122-4).
Cette représentation ou reproduction, par quelque procédé que ce soit, constituerait donc une contrefaçon, sanctionnée par les articles L. 335-2 et suivants du Code de la propriété intellectuelle.

© 2012, Éditions Jean-Claude Lattès
ISBN : 978-2-266-23837-3

À Hazel Joan Rowley,
qui a fermé si brutalement la porte,
qu'elle nous a laissés saisis.

« Vivre ou écrire, il faut choisir. »

Jean-Paul Sartre

Pourquoi faut-il que toute tentative de se raconter aboutisse à un fatras de demi-vérités ? Pourquoi faut-il que les autobiographies ou les mémoires deviennent trop souvent des édifices de fantaisie d'où l'expression de la simple vérité s'estompe, puis disparaît ? Pourquoi l'être humain est-il tellement désireux de se peindre une existence aussi différente de celle qu'il a vécue ? Par exemple, je lis dans les brochures rédigées par mes attachées de presse d'après mes propres informations à l'intention des journalistes et des libraires : « En 1958, elle épouse Mamadou Condé, un comédien guinéen qu'elle avait vu jouer à l'Odéon dans *Les Nègres*, une pièce de Jean Genet, mise en scène par Roger Blin et part avec lui pour la Guinée, le seul pays d'Afrique qui ait répondu *non* au référendum sur la communauté du général de Gaulle. »

Ces phrases créent une image séduisante. Celle d'un amour éclairé par le militantisme. Or, elles contiennent à elles seules de nombreuses falsifications. Je n'ai jamais vu Condé jouer dans *Les Nègres*. Lorsque j'étais avec lui à Paris, il ne se produisait que dans d'obscures salles de théâtre où, ainsi qu'il le disait moqueusement, il faisait de la « nègrerie ». Il n'incarna le personnage d'Archibald à l'Odéon qu'en 1959, alors que notre mariage étant loin d'être une réussite, nous vivions la première de nos séparations. J'enseignais à Bingerville en Côte-d'Ivoire où est née Sylvie-Anne, notre première fille.

Paraphrasant donc Jean-Jacques Rousseau dans *Les Confessions*, je déclare aujourd'hui que *je veux montrer à mes semblables une femme dans toute la vérité de la nature et cette femme sera moi.*

D'une certaine manière, j'ai toujours éprouvé de la passion pour la vérité, ce qui, sur le plan privé comme public, m'a souvent desservie. Dans mon récit de souvenirs *Le Cœur à rire et à pleurer – Contes vrais de mon enfance*, je raconte comment ma « vocation d'écrivain », si on peut employer pareils termes, aurait pris naissance. J'aurais environ dix ans. C'était, semble-t-il, un 28 avril, jour de l'anniversaire de ma mère que j'idolâtrais, mais dont le caractère singulier, complexe et fantasque ne manquait pas de me déconcerter. J'aurais donc élaboré une composition, mi-poème, mi-saynète, où je me serais efforcée de peindre les multiples facettes de sa personnalité, tantôt tendre et sereine comme brise de mer, tantôt moqueuse et grinçante. Ma mère m'aurait écoutée sans mot dire tandis que je paradais devant elle, vêtue d'une robe bleue. Puis, elle aurait levé sur moi des yeux à ma stupeur remplis de larmes et aurait soufflé :

« C'est ainsi que tu me vois ? »

J'aurais éprouvé à ce moment-là un sentiment de

puissance que j'aurais cherché à revivre, livre après livre.

Cette anecdote construite *a posteriori* me semble parfaitement illustrer ces involontaires (?) tentatives d'embellissement que je dénonce. Il est certain que j'ai souvent rêvé de choquer mes lecteurs en dégonflant certaines boursouflures. Plus d'une fois, j'ai regretté que des flèches contenues dans mes textes n'aient pas été perçues. Ainsi dans mon dernier roman *En attendant la montée des eaux* (J.-C. Lattès 2010), j'écris : « Un terroriste n'est-il pas tout simplement un exclu, exclu de sa terre, exclu de la richesse, exclu du bonheur, qui tente de manière désespérée et peut-être barbare de faire entendre sa voix ? »

J'espérais que dans notre époque si frileuse, une telle définition pourrait susciter diverses réactions. Or seul Didier Jacob du *Nouvel Observateur*, lors d'une interview, me posa une question à ce sujet.

Cependant, le désir de choquer ne saurait, à lui seul, résumer la vocation d'un écrivain. La passion de l'écriture a fondu sur moi presque à mon insu. Je ne la comparerai pas à un mal d'origine mystérieuse puisqu'elle m'a procuré mes joies les plus hautes. Je la rapprocherais plutôt d'une urgence, un peu effrayante dont je n'ai jamais su démêler les causes. N'oublions pas que je suis née dans un pays, à l'époque, sans musée, sans vraie salle de spectacle, où les seuls écrivains que nous fréquentions appartenaient à nos manuels scolaires et étaient originaires d'Ailleurs.

Je n'ai pas été un écrivain précoce, griffonnant à seize ans des textes géniaux. Mon premier roman est paru à mes quarante-deux ans, quand d'autres commencent de ranger leurs papiers et leurs gommes et a été fort mal accueilli, ce que j'ai accepté avec philosophie comme la préfiguration de ma future carrière littéraire. La principale raison qui explique que j'ai tant tardé à écrire, c'est que j'étais si occupée à vivre douloureusement que je n'avais de loisir pour rien d'autre. En fait, je n'ai commencé à écrire que lorsque j'ai eu moins de problèmes et que j'ai pu troquer des drames de papier contre de vrais drames.

J'ai longuement parlé du milieu dont je suis issue dans *Le Cœur à rire et à pleurer* et surtout dans *Victoire, les saveurs et les mots*. Le film à succès d'Euzhan Palcy : *La Rue Case-Nègres* a popularisé une certaine image des Antilles. Non ! Nous ne sommes pas tous des damnés de la terre nous tuant à la peine dans la grattelle de la canne à sucre. Mes parents faisaient partie de l'embryon de la petite bourgeoisie et se dénommaient avec outrecuidance « Les Grands Nègres ». Je dirai à leur décharge que leurs enfances avaient été terribles et qu'ils voulaient à tout prix protéger leur descendance. Jeanne Quidal, ma mère, était la fille bâtarde d'une mulâtresse illettrée qui ne sut jamais parler le français. Sa mère se louait chez des blancs-pays, de leur vrai nom les Wachter, et elle avait très tôt connu son lot de honte et d'humiliation. Auguste Boucolon, mon père, bâtard lui aussi, s'était retrouvé orphelin, quand sa pauvre mère avait péri brûlée vive dans l'incendie de sa case. On peut malgré tout dire que ces douloureuses circonstances avaient eu des conséquences relativement positives. Les Wachter avaient autorisé ma mère à bénéficier de l'enseignement du précepteur de leur fils, ce qui lui avait permis d'être « anormalement » instruite, vu sa couleur, et de devenir une des premières institutrices noires de sa génération.

Mon père, pupille de la nation, avait poursuivi une scolarité rare pour l'époque, à coups de bourses et avait fini… fondateur d'une petite banque locale, la « Caisse Coopérative de Prêts » qui aidait les fonctionnaires.

Une fois mariés, Jeanne et Auguste furent le premier couple de Noirs à posséder une voiture, une Citroën C4, à se faire bâtir à la Pointe une maison de deux étages, à passer leurs vacances dans leur « maison de changement d'air » au bord de la rivière Sarcelles à Goyave. Imbus de leur réussite, ils considéraient que rien n'était assez bon pour eux et ils nous élevèrent, mes sept frères, mes sœurs et moi dans le mépris et l'ignorance de la société qui nous entourait.

Dernière-née de cette large fratrie, j'étais particulièrement choyée. Tout le monde s'accordait à dire que mon avenir serait exceptionnel et je le croyais volontiers. À seize ans, quand je partis commencer mes études supérieures à Paris, j'ignorais le créole. N'ayant jamais assisté à un « lewoz », je ne connaissais pas les rythmes de la danse traditionnelle, le gwoka. Même la nourriture antillaise, je la jugeais grossière et sans apprêt.

Je ne parlerai pas de ma vie actuelle, sans grands drames, si ce n'est l'approche à pas sournois de la vieillesse puis de la maladie, événements sans originalité qui, j'en suis sûre, n'intéresseraient personne. Je tenterai plutôt de cerner la place considérable qu'a occupée l'Afrique dans mon existence et dans mon imaginaire. Qu'est-ce que j'y cherchais ? Je ne le sais toujours pas avec exactitude. En fin de compte, je me demande si, à propos de l'Afrique, je ne pourrais reprendre à mon compte presque sans les modifier les paroles du héros de Marcel Proust dans *Un amour de Swann* :

« Dire que j'ai gâché des années de ma vie, que j'ai voulu mourir, que j'ai eu mon plus grand amour pour une femme qui ne me plaisait pas, qui n'était pas mon genre. »

I

« Mieux vaut mal mariée que fille »

Proverbe guadeloupéen

J'ai fait la connaissance de Mamadou Condé en 1958 à la Maison des Étudiants de l'Ouest Africain, grande bâtisse délabrée située boulevard Poniatowski à Paris. Puisque l'Afrique, son passé, son présent, comptait pour ma seule préoccupation, je venais de me faire deux amies, deux sœurs, Peules de Guinée : Ramatoulaye et Binetou. Je les avais rencontrées lors d'un meeting politique à la salle des Sociétés Savantes, rue Danton, aujourd'hui disparue. Elles venaient de Labbé et m'avaient fait rêver en me montrant les photos jaunies de leurs vénérables parents, vêtus de boubous de bazin, assis devant leurs cases rondes à toit de paille.

La Maison des Étudiants était riche en courants d'air. Pour lutter contre le froid, Ramatoulaye, Binetou et moi, nous buvions tasse sur tasse de thé vert à la menthe dans le foyer où brûlait un minuscule poêle à charbon. Un après-midi, un groupe de Guinéens vint nous y rejoindre.

Tous appelaient Condé « le Vieux », ce qui était, je l'avais appris, un signe de respect, mais aussi, parce que, déjà grisonnant, il semblait plus âgé que la moyenne des étudiants. Il parlait également du ton sentencieux d'un Sage qui énonce de profondes vérités. Pourtant son acte d'état-civil affirmant qu'il était né vers 1930 contredisait et son apparence et son comportement. Extrêmement frileux, il portait enroulée autour du cou une lourde écharpe tricotée main et sous son épais manteau de couleur terreuse, deux ou trois pullovers. Je fus surprise quand on fit les présentations. Comédien qui suivait les cours du Conservatoire de la rue Blanche ? Sa diction laissait beaucoup à désirer. Quant à sa voix haut perchée, elle n'avait rien de celle d'un baryton. Soyons franche ! En d'autres temps, je lui aurais à peine adressé la parole. Mais, pour moi, la vie avait radicalement basculé. Celle que j'avais été n'était plus.

L'arrogante Maryse Boucolon, l'héritière des « Grands Nègres », élevée dans le souverain mépris des inférieurs avait été frappée d'une blessure mortelle. Fuyant mes anciens amis, je n'avais plus qu'un désir : me faire oublier. J'avais quitté le lycée Fénelon et je ne m'enorgueillissais plus d'être une des très rares Guadeloupéennes à préparer le concours des Grandes Écoles avec toutes les chances d'être reçue. Cela n'avait pas été mon seul titre de gloire ! Après la parution des bonnes feuilles de *Peau Noire, masques blancs* dans la revue *Esprit*, outrée par cette peinture que je jugeais avilissante de la société antillaise, j'avais adressé à la direction une Lettre Ouverte dans laquelle j'affirmais que Frantz Fanon n'avait rien compris à notre société. Ô surprise, en réponse à ma missive enflammée, malgré mon extrême jeunesse, j'avais été invitée par Jean-Marie Domenach lui-même à venir à la rue Jacob afin d'exposer mes critiques.

Mais depuis ces jours fastueux, l'Haïtien Jean

Dominique, le futur héros de *The Agronomist*, le documentaire hagiographique de l'Américain Jonathan Demme était passé par là. Je ne me souviens plus dans quelles circonstances j'avais rencontré cet homme dont le comportement devait avoir de telles conséquences dans ma vie. Nous avions vécu un remarquable amour intellectuel. Vu le splendide isolement dans lequel j'avais été élevée, je ne savais rien d'Haïti. Jean Dominique ne m'avait pas simplement déniaisée physiquement. Il m'avait éclairée, me révélant la geste des « Africains chamarrés » selon l'expression méprisante de Napoléon Bonaparte. Grâce à lui, j'avais découvert le martyre de Toussaint Louverture, le triomphe de Jean-Jacques Dessalines et les premières difficultés de la nouvelle République Noire. Il m'avait aussi donné à lire *Gouverneurs de la Rosée* de Jacques Roumain, *Bon Dieu rit* d'Édris Saint-Amand, *Compère Général Soleil* de Jacques Stephen Alexis. En un mot, il m'avait initiée à l'extraordinaire richesse d'une terre que j'ignorais. Sans nul doute, c'est lui qui a planté dans mon cœur cet attachement pour Haïti qui ne s'est jamais démenti.

Le jour où prenant mon courage à deux mains, je lui annonçai que j'étais enceinte, il sembla heureux, très heureux même et s'écria avec emportement :

« C'est un petit mulâtre que j'attends cette fois ! »

Car d'une précédente union, il avait deux filles dont l'une J.J. Dominique est devenue écrivain.

Néanmoins, me rendant chez lui le lendemain, je le trouvai en train de vider son appartement et de ranger ses effets dans des malles. D'un air pénétré, il m'expliqua qu'une menace d'une exceptionnelle gravité se profilait sur Haïti. Un médecin du nom de François Duvalier se présentait à l'élection présidentielle. Parce qu'il était noir, il suscitait l'enthousiasme des foules, lassées des présidents mulâtres et dangereusement sensibles à l'idéologie du « noirisme ». Or, il ne possédait aucune des qualités nécessaires pour remplir une si haute fonction. Toutes les forces d'opposition à ce détestable projet devaient donc se rejoindre au pays et former un front commun.

Jean Dominique s'envola et ne m'adressa pas même une carte postale. Je restai seule à Paris, ne parvenant pas à croire qu'un homme m'avait abandonnée avec un ventre. C'était impensable. Je refusais d'accepter la seule explication possible : ma couleur. Mulâtre, Jean Dominique m'avait traitée avec le mépris et l'inconscience de ceux qui stupidement s'érigeaient alors en caste privilégiée. Comment interpréter ses stances anti-duvaliéristes ? Quel crédit accorder à sa foi dans le peuple ? Il va sans dire que pour moi, ce n'était qu'hypocrisie.

Je parvins difficilement à supporter les longs mois de cette grossesse solitaire. Un médecin de la Sécurité Sociale des étudiants me trouvant dépressive et dénutrie m'expédia dans une maison de repos dans l'Oise où tout le monde m'entoura d'attentions que je n'ai pas oubliées. Pour la première fois, je découvrais la compassion des étrangers. Finalement, le 13 mars 1956, alors que j'aurais dû préparer d'arrache-pied mon concours d'entrée à l'École Normale Supérieure, j'accouchai dans une petite clinique du XVe arrondissement, d'un fils à qui je donnai au hasard le prénom de Denis. Sur ces entrefaites, ma mère adorée mourut subitement à la Guadeloupe. Sous le coup de toutes ces épreuves, je jouai à la Marguerite Gautier. Un infiltrat tuberculeux se déclara dans mon poumon droit et le même médecin de la Sécurité Sociale des étudiants me dirigea vers le sanatorium de Vence dans les Alpes-Maritimes. Je devais y rester plus d'un an.

« Pourquoi le sort s'acharne-t-il ainsi sur toi ? » répétait, ulcérée, en m'accompagnant à la gare, Yvane Randal, une des rares amies que je fréquentais encore.

Toute à mon chagrin, je ne l'entendais pas. Faute de moyens, j'avais dû confier mon adorable nourrisson à l'Assistance Publique dont les austères locaux s'élevaient avenue Denfert-Rochereau. Pourtant, j'avais deux sœurs aînées vivant dans la capitale. La première, Ena, qui était aussi ma marraine, étonnamment belle, mélancolique et rêveuse, était entourée d'une aura de mystère. Venue faire des études de musiquc, elle avait épousé, à la veille de la Seconde Guerre mondiale, le Guadeloupéen Guy Tirolien, élève de l'École Nationale d'Administration qui avec son recueil *Balles d'Or* devait devenir notre poète national. Les raisons de leur divorce constituaient un des secrets les plus sulfureux de notre famille. Alors que son mari se languissait au stalag à côté de Léopold Sédar Senghor, Ena le trompait avec une coterie de fringants officiers allemands qui la surnommaient « Bijou ». Pour l'heure, elle était entretenue par un richissime homme d'affaires. Pour meubler son inaction, elle jouait au piano des mélodies de Chopin et buvait des alcools forts. L'autre, Gillette, était plus terre à terre. Assistante sociale à Saint-Denis, alors un faubourg populeux et pauvre, elle était mariée à Jean Deen, un étudiant en médecine d'origine guinéenne.

« Tu ne mérites pas ce qui t'arrive ! » ajoutait Yvane, révoltée.

Moi-même, je ne savais que penser. À certains moments, j'avais la conviction d'avoir été victime d'une immense injustice. À d'autres, une voix me soufflait que je méritais ce qui m'arrivait, la conviction d'appartenir à une espèce supérieure dans laquelle j'avais été élevée ayant irrité le sort. Je suis sortie de cette épreuve à jamais écorchée vive, ne possédant guère de confiance dans le sort, redoutant à chaque instant les coups sournois du destin.

Ce séjour à Vence fut sinistre. Comme Marie-Noëlle dans le roman *Desirada* je garde un triste souvenir des heures interminables passées au lit, des perfusions quotidiennes de PAS, de la fatigue, des nausées, des fièvres, des suées et des insomnies. Mais à la différence de Marie-Noëlle, je ne rencontrai pas l'amour. Cela aurait été difficile. Quand nous nous portions mieux, nous avions l'autorisation de nous rendre une fois par mois à Nice, sous la conduite d'une infirmière en blouse blanche. À notre approche, les passants s'écartaient, car nous symbolisions la détresse et la maladie, qui sont contagieuses, on le sait. Nous poussions jusqu'à la mer et nous regardions avec envie les bien portants à demi nus et bronzés qui se poursuivaient à la brasse. Je pensais avec douleur à ma mère que je ne verrais jamais plus et à mon beau bébé, et avec haine à Jean Dominique. Néanmoins comme cela se produit souvent dans la vie, ces longs mois eurent une contrepartie heureuse. Grâce à une série d'autorisations spéciales dues à mon état de santé, je pus terminer une licence de lettres modernes à la Faculté d'Aix-en-Provence. J'optai pour le français, l'anglais, et l'italien et non plus le français, le latin et le grec, comme j'en avais rêvé lorsque j'étais en hypokhâgne.

De retour à Paris, je répondis à une petite annonce et trouvai du travail dans une branche du ministère de la Culture, rue Boissy-d'Anglas. Forte de cet emploi, je me crus capable de reprendre Denis avec moi et de mettre fin au sentiment de culpabilité que j'éprouvais en pensant à lui. Ma vie se révéla très vite un enfer. Depuis la mort de ma mère, mon père, qui ne m'avait jamais beaucoup aimée, se désintéressait complètement de moi et ne m'envoyait plus d'argent. Je n'ai jamais compris pourquoi l'attitude d'Ena et Gillette à mon endroit s'était pareillement modifiée. Comme elles étaient sensiblement plus âgées que moi, il n'y avait jamais eu beaucoup d'intimité entre nous. Néanmoins, par le passé, elles étaient plutôt gentilles et m'invitaient régulièrement à déjeuner ou à dîner chez elles. Depuis ma grossesse et la fuite de Jean Dominique, alors que j'aurais eu tellement besoin d'être entourée, je ne les voyais plus. Quand je me hasardais à téléphoner, c'est tout juste si elles ne raccrochaient pas en entendant ma voix. Avais-je choqué leurs sentiments petits-bourgeois ? Étaient-elles déçues de me voir, alors que j'étais promise à un brillant avenir, engrossée, puis abandonnée comme une servante ? Réagissaient-elles en fin de compte comme les petites bourgeoises qu'elles étaient ?

Je n'avais donc pour vivre avec mon bébé que mon dérisoire salaire du ministère. J'habitais, moqueuse coïncidence, dans un immeuble bourgeois face à l'Ambassade d'Haïti dans le XVIIe arrondissement. Mais, j'occupais une chambre de bonne avec l'eau et les toilettes sur le palier. Chaque matin, je traversais Paris pour déposer Denis à la crèche des enfants d'étudiants qui se trouvait rue des Fossés-Saint-Jacques dans le Ve, puis je me précipitais au ministère à la Concorde. En fin de journée, je parcourais la même distance en sens inverse. Inutile de dire que je ne sortais jamais le soir. Moi naguère si friande de cinéma, de théâtre, de concerts de musique et de repas aux restaurants, je n'allais plus nulle part. Je baignais mon fils, je le faisais manger, puis je m'efforçais de l'endormir en lui chantant des berceuses. La rumeur ayant circulé que ma brusque disparition était due au fait que j'étais une « fille-mère », comme on désignait alors avec mépris les « mères-célibataires », à l'exception des fidèles Yvane Randal et Eddy Edinval, les étudiants antillais m'évitaient. Je ne fréquentais plus que des Africains qui ne savaient rien de moi et qu'impressionnaient mes manières et mon restant de bagout.

J'avais beaucoup de mal à payer mon loyer. Quand les retards s'accumulaient, le propriétaire, un bourgeois de carte postale, cheveux blancs de neige, profil aristocratique, escaladait les six étages qui menaient au triste réduit qu'il me louait et vociférait :

« Je ne suis pas là pour vous servir de père ! »

Au ministère, au contraire, je retrouvais ces marques de gentillesse et de sympathie qui m'avaient tellement surprise lors de mon séjour dans la maison de repos de l'Oise. Pour parler comme Tennessee Williams, *the kindness of strangers* ne cessait de m'entourer. Tout le service où je travaillais s'apitoyait sur ma jeunesse et mon dénuement, admirait ma dignité et mon courage. Le week-end, j'étais régulièrement invitée à déjeuner chez mes collègues. Les convives s'extasiaient sur la beauté de Denis, couvert de baisers et traité comme un petit prince. Au départ, mes hôtesses glissaient dans mon sac des vêtements usagés, pas seulement d'enfants, du pain d'épice, des boîtes d'Ovomaltine ou de cacao Van Houten, destinées à fortifier le fils et la mère, les deux étant fort chétifs. Je versais des larmes d'humiliation sur le trottoir.

Que faisait-on exactement rue Boissy-d'Anglas ?

Je crois me souvenir que le Département auquel j'appartenais rédigeait des lettres qui accompagnaient des projets culturels à l'intention du ministre.

Au bout de quelques mois, je compris que je n'étais pas en état de suivre ce régime. Je me résignai à me séparer de nouveau de Denis. Je le confiai à une nourrice agréée, Mme Bonenfant qui habitait dans les environs de Chartres. Comme je fus bien vite incapable de lui régler ses 18 000 anciens francs mensuels, je pris le large et ne remis plus les pieds à Chartres. Mme Bonenfant n'engagea aucun recours contre moi. Elle se borna à m'adresser des lettres bourrées de fautes d'orthographe où elle me donnait des nouvelles de « notre » petit.

« Vous lui manquez beaucoup ! assurait-elle. Il vous réclame tout le temps. »

Je pleurais en lisant ce courrier, car j'étais bourrelée de remords. Les jours se succédaient dans un brouillard de souffrance et de mauvaise conscience. Je dormais deux ou trois heures par nuit. En quelques semaines, je maigris de huit kilos. Les lecteurs me demandent souvent pourquoi mes romans sont remplis de mères qui considèrent leurs enfants comme des poids trop lourds à porter, d'enfants qui souffrent d'être mal aimés et se replient sur eux-mêmes. C'est que je parle d'expérience. J'aimais profondément mon fils. Cependant, non seulement sa venue avait détruit les espoirs qui faisaient la base de mon éducation, mais j'étais incapable de subvenir à ses besoins. En fin de compte, mon comportement à son égard pouvait sembler celui d'une mauvaise mère.

Je ne garde aucun souvenir de la cour au pas de charge que me fit Condé. Premier baiser, première étreinte, premier plaisir partagé. Rien. Je n'ai pas non plus souvenir d'une conversation, d'un échange sérieux entre nous sur quelque sujet que ce fût. Pour des raisons différentes, nous étions également pressés de passer devant le maire. J'espérais grâce à ce mariage retrouver un rang dans la société. Condé avait hâte d'exhiber cette épousée universitaire, visiblement de bonne famille et qui parlait le français comme une vraie Parisienne. Condé était un personnage assez complexe, doté d'une gouaille que je trouvais souvent commune, presque vulgaire, mais qui était efficace. Je tentai vainement de le façonner à mon goût. Il repoussait mes diverses tentatives avec une détermination qui témoignait de sa liberté d'esprit. Ainsi, je prétendis l'habiller d'une parka, vêtement à la mode en ces années-là.

« Trop jeune ! Beaucoup trop jeune pour moi ! » assurait-il de sa voix nasale.

Je tentai de lui communiquer ma passion pour les cinéastes de la Nouvelle Vague, les réalisateurs italiens, Antonioni, Fellini, Visconti, ou pour Carl Dreyer et Ingmar Bergman. Il s'endormit si profondément pendant la projection des *Quatre cents coups* de François Truffaut (1958) que j'eus du mal à le réveiller en fin de séance sous les regards narquois des spectateurs. Il m'infligea mon échec le plus cuisant quand je tentai de l'initier aux poètes de la Négritude que j'avais découverts quelques années auparavant quand j'étais élève d'hypokhâgne. Un jour, Françoise, une camarade de classe, qui se piquait de militantisme, m'apporta un mince opuscule qui portait en titre : *Discours sur le colonialisme*. Je ne savais rien de son auteur. Pourtant, sa lecture me bouleversa tellement que le lendemain, je me précipitai à la librairie Présence Africaine. J'achetai tout ce que je trouvai d'Aimé Césaire. Pour faire bonne mesure j'achetai aussi les poèmes de Léopold Sédar Senghor et de Léon-Gontran Damas.

Condé ouvrait au hasard l'ouvrage de celui qui était devenu mon écrivain favori, le *Cahier d'un retour au pays natal* d'Aimé Césaire et déclamait moqueusement :

« Que 2 et 2 font 5
que la forêt miaule
que l'arbre tire les marrons du feu
que le cil se lisse la barbe
et cetera et cetera… »

« Qu'est-ce que cela veut dire ? s'exclamait-il. Pour qui écrit-il ? Certainement pas pour moi qui ne le comprends pas. » À la rigueur, il tolérait Léon-Gontran Damas dont le style lui semblait plus simple et direct.

Cependant, ce qui me paraît incroyable, c'est que je ne lui révélai jamais l'existence de Denis. Je ne fus même pas tentée de l'avouer, car je savais que cette révélation rendrait tout projet de mariage impossible. Cette époque-là ne ressemblait nullement à celle que nous vivons aujourd'hui. Si la virginité chez une femme n'était plus tout à fait de rigueur, la libération sexuelle était loin de s'amorcer. La loi Simone Veil ne devait être votée qu'environ quinze ans plus tard. Avoir un enfant « naturel » ne s'avouait pas aisément.

Condé ne fit pas l'unanimité auprès des rares personnes à qui je le présentai.

« Quel est son niveau d'études ? » demanda avec arrogance Jean, le mari de Gillette quand je l'emmenai déjeuner à Saint-Denis.

Ena qui nous avait hâtivement reçus dans un bar de

la place des Abbesses, téléphona à Gillette pour lui indiquer qu'en trente minutes d'entrevue, il avait ingurgité six bières et deux verres de vin rouge. Sûrement, c'était un ivrogne. Yvane et Eddy se plaignaient :

« On ne comprend pas quand il parle. »

Moi-même, je voyais bien que ce n'était pas l'homme dont j'avais rêvé. Mais celui dont j'avais rêvé m'avait laidement trahie. Nous nous mariâmes un matin du mois d'août 1958 par un éclatant soleil à la mairie du XVIIIe arrondissement de Paris. Les platanes verdoyaient. Si Ena ne prit pas la peine de se déplacer, Gillette assista à la cérémonie, accompagnée de sa fille Dominique qui n'arrêta pas de bouder parce que cela ne ressemblait pas à un « vrai mariage », se plaignit-elle. Nous prîmes un verre de Cinzano rouge au café du coin, puis nous emménageâmes dans un meublé des environs où Condé avait loué un deux pièces.

Moins de trois mois plus tard, nous étions séparés. Nous ne nous disputions pas. Simplement, nous ne pouvions supporter d'être longtemps ensemble. Tout ce que l'un de nous faisait ou disait, irritait l'autre. Parfois, pour servir de tampon, nous faisions appel à quelques invités, mais je détestais ses amis autant qu'il détestait Yvane et Eddy. Au cours de l'année qui suivit, quand je m'aperçus que j'étais enceinte, nous fîmes plusieurs tentatives pour reprendre la vie commune. Puis, il fallut nous résigner à la rupture. Je ne souffris pas de ce qui pouvait sembler un nouveau déboire amoureux. D'une certaine manière, j'avais obtenu ce que je voulais. Je m'appelais Madame et je portais une alliance à l'annulaire de la main gauche. Ce mariage avait « relevé ma honte ». Jean Dominique m'avait insufflé la peur et la méfiance des hommes antillais. Condé était un « Africain ». Non pas un « Guinéen » comme je l'ai prétendu par la suite, impliquant menteusement que Sékou Touré et l'indépendance de 1958 avaient joué quelque rôle dans ce mariage. Répétons que je n'étais pas encore suffisamment « politisée » pour cela. Je croyais que si j'abordais au continent chanté par mon poète favori, je pourrais renaître. Redevenir vierge. Tous les espoirs me seraient à nouveau permis. N'y flotterait pas le souvenir malfaisant de celui qui m'avait fait tant de mal. Pas étonnant si mon mariage n'avait pas duré : j'avais posé sur les épaules de Condé un poids d'attentes et d'imagination né de mes déceptions. Cette charge était trop lourde pour lui.

Je perçois aujourd'hui avec une lucidité cruelle à quel point cette union fut un marché de dupes. L'amour, le désir n'y tenaient que peu de place. À travers moi, il cherchait ce qui lui manquait : l'instruction et l'appartenance à un solide milieu familial. Le mari de Gillette avait eu raison de s'interroger sur son niveau d'études. Condé possédait tout juste le certificat d'études primaires. Son père étant mort alors qu'il était très jeune, il avait été élevé à Siguiri par une pauvresse de mère qui vendait de la pacotille sur les marchés. Il devait découvrir que ce métier de comédien qu'il avait choisi, sans vocation véritable, pour quitter la Guinée et se parer du beau nom « d'étudiant », ne l'auréolait d'aucun prestige. Ne bénéficiant d'aucun appui dans la société, ses ambitions « d'être quelqu'un » pour parler comme Marlon Brando dans *Sur les quais* n'avaient aucune chance de se réaliser.

En 1959, la Coopération commençait de balbutier. Une aile du ministère abrita bientôt un bureau d'embauche pour les Français qui voulaient tenter leur chance en Afrique. Cette offre semblait faite pour moi. En effet, l'Afrique, quand je l'avais découverte en hypokhâgne, n'était rien de plus qu'un objet littéraire. C'était la source d'inspiration de poètes dont la voix me changeait de celles des sempiternels Rimbaud, Verlaine, Mallarmé, Valéry. Cependant au fur et à mesure, les réalités africaines avaient occupé dans ma vie une place de plus en plus grande. Je ne voulais plus songer aux Antilles qui évoquaient des souvenirs trop douloureux. Je me précipitai donc au bureau de recrutement. Je me rappelle encore la stupeur du blondinet aux joues roses qui prit soin de ma candidature. Il m'assaillait de questions :

« Vous voulez partir en Afrique seule avec un enfant ? Et votre époux ? Ne venez-vous pas de vous marier ? »

« One Flew over the Cuckoo's Nest »

Milos Forman

Quelques mois plus tard, je reçus un pli recommandé. Il m'informait que le ministère de l'Éducation Nationale m'affectait au collège de Bingerville en Côte-d'Ivoire. Vu la minceur de mes diplômes d'alors – une licence de lettres modernes – j'étais recrutée comme auxiliaire d'enseignement du français au IVe échelon et le salaire qui m'était proposé était modique. Qu'importe ! Je dansai de joie, ce qui ne m'était pas arrivé depuis longtemps !

Aux derniers jours de septembre 1959, Denis et moi, nous prîmes le train jusqu'au port de Marseille où nous attendait le paquebot *Jean Mermoz* qui desservait le port d'Abidjan. Vu mon état, Condé avait bien tenté de me dissuader de partir. Mais accoucher en pays étranger et mettre au monde un nouvel enfant sans père ne m'effrayaient plus. Quant à mes sœurs, elles accueillirent ma décision avec une espèce de soulagement. Elles appréciaient visiblement le fait que désormais, j'allais faire mes bêtises ailleurs. Loin d'elles. Gillette m'invita hâtivement à dîner et me confia que

Jean ayant terminé ses études de médecine, elle se préparait à partir pour la Guinée.

Pour moi, Marseille, où nous nous embarquâmes, était une puissante image littéraire, le cadre de *Banjo*, livre-culte du Jamaïquain Claude McKay qui avait suscité l'enthousiasme d'Aimé Césaire. En arpentant la Canebière, en parcourant les rues encombrées, en entrant dans les cafés, j'avais l'impression de toucher aux écrivains de la Négritude. Plus important, mon sang coulait dans mes veines avec une allégresse retrouvée. Une douloureuse parenthèse se refermait et ne restait plus de mon passé que ce petit garçon au bord des larmes qui ne comprenait pas pourquoi il avait été brutalement enlevé des bras de sa nourrice bien-aimée. La séparation d'avec Mme Bonenfant n'avait pas été facile. Cette femme généreuse avait tenté de jouer auprès de moi le rôle que personne ne tenait, celui de mère. À son avis, tout aurait été différent si je partais pour l'Afrique au bras de mon mari, balbutiait-elle ! Mais qu'allais-je y faire sans homme à mes côtés ! Avais-je songé aux terribles dangers qui me guettaient ? Elle eut le tort de préciser : viol, maladies inconnues… et je me hâtai de mettre ses propos au compte du racisme.

Mon voyage jusqu'à Abidjan peut se comparer moqueusement à la première sortie du Bouddha quand lui apparurent d'un même coup la pauvreté, la maladie, la vieillesse et la mort. Je ne connaissais que le monde des privilégiés. Mon expérience était fort limitée. Si je m'étais rendue à maintes reprises en Italie, en Espagne et aux Pays-Bas, c'était pour visiter les musées ; à Londres, c'était aussi pour visiter les musées et apprendre l'anglais. Je fais une exception pour un voyage à Varsovie avec Jean Dominique. Il m'avait entraînée au Festival de la FMJD pour m'initier aux réalisations du marxisme et me faire admirer un pays de l'Est. L'expérience, je dois l'avouer, avait été extraordinaire. J'avais pour la première fois de ma vie côtoyé des Indiens, des Chinois, des Japonais, des Mongols. J'avais été éblouie par une représentation de l'Opéra de Pékin.

L'administration française n'étant guère généreuse, j'occupais une cabine de troisième classe B, microscopique et sans air. Il y avait, pourtant, plus à plaindre que moi. De notre pont-promenade, j'avais vue sur les passagers sans cabine. Troufions blancs ou « indigènes » pour la plupart, ils étaient enserrés comme des prisonniers par d'épais grillages. Transis de froid, ils se pressaient autour de braseros allumés par les marins qui leur distribuaient de la soupe deux fois par jour.

À Dakar, notre première escale, nous arrivâmes au petit matin. Au-dessus de la ville, le ciel était laiteux. La capitale de l'A.O.F. n'était alors qu'une petite agglomération paisible et fleurie. Ses jolies maisons de bois excédaient rarement un étage. Du quai, je fus saisie à la gorge par un pénétrant remugle. C'était l'odeur de l'arachide que je n'avais jamais respirée. Elle flottait dans l'air qu'épaississaient des volutes de poussière rougeâtre. Un membre de l'équipage expliquait à ceux qui descendaient à terre qu'elles étaient charroyées par un vent brûlant, soufflant du désert.

Mon premier contact avec l'Afrique n'éveilla aucun coup de foudre. À l'inverse des voyageurs occidentaux qui se pâment, ni les parfums ni les couleurs ne me frappèrent. Je fus confondue par l'indigence de la foule. Assises à même les trottoirs, des femmes aux traits creusés exhibaient leurs jumeaux, leurs triplés, leurs quadruplés. Des culs-de-jatte se traînaient sur leurs derrières. Des manchots brandissaient leurs moignons. Toutes sortes d'infirmes et de mendiants agitant férocement leurs sébiles formaient une véritable cour des Miracles. En un parfait contraste, les Blancs sémillants et bien vêtus circulaient au volant de leurs voitures. Au hasard d'une rue, je tombai sur un marché d'une saleté repoussante. Une odeur pestilentielle régnait. Des nuages de mouches vrombissaient autour de poissons sans couleur et de quartiers de viandes violacées et sanguinolentes. Je pris mes jambes à mon cou et atterris dans un quartier résidentiel. Des fenêtres ouvertes me parvint un brouhaha de voix enfantines. Une école ! Me hissant sur la pointe des pieds, j'aperçus des rangées de têtes blondes et debout près du tableau une maîtresse blonde elle aussi vêtue d'une élégante robe bleue. Où étaient les petits Africains ?

Yvane m'avait donné l'adresse d'un de ses oncles, Jean Sulpice, « Tonton Jean », médecin militaire qui habitait au quartier résidentiel du Plateau. La famille, qui voyait rarement des Guadeloupéens, nous accueillit très chaleureusement, à bras ouverts comme on reçoit des parents. Le repas qui suivit fut étonnamment traditionnel : boudin, féros d'avocat, court-bouillon de vivaneau, riz et pois rouges.

« On se croirait au pays », fit observer fièrement Mme Sulpice.

Cependant, l'atmosphère était assez pathétique. La maisonnée était mobilisée autour de Béatrice, une des filles, âgée d'une douzaine d'années, lourdement handicapée. Une de ses sœurs, Claire, qui semblait l'adorer, la nourrissait à la cuiller et elle régurgitait pratiquement tout ce qu'elle avalait. Surmontant mon involontaire répulsion, je m'approchai d'elle et caressai ses mains, très belles et très douces, reposant, paumes en l'air sur ses genoux.

« Tonton Jean », un mulâtre souriant et hâlé, arriva au dessert. Il me fit entendre la parole d'un Antillais qui vivait en Afrique et elle ne fut pas du tout celle que j'attendais :

— Les Africains nous détestent et nous méprisent, m'asséna-t-il. Parce que certains d'entre nous ont servi comme fonctionnaires coloniaux, ils nous traitent de valets tout juste bons à exécuter la sale besogne de leurs maîtres.

— Et René Maran ! protestai-je, outrée.

— Qui est René Maran ? me demanda-t-il, perplexe.

Je crus d'abord avoir mal entendu. Consternée, je découvrais les limites de la littérature. Je me lançai dans une longue explication qu'il écouta patiemment. Je martelai que René Maran, premier Noir à avoir reçu le Prix Goncourt en 1921 pour son roman *Batouala*, avait chèrement payé et sa notoriété et sa condamnation du régime colonial. Il avait été démis de ses fonctions d'administrateur. Penaud, « Tonton Jean » promit de lire *Batouala*.

Après le café, tandis que l'on jouait aux cartes et à divers amusements de société, Mme Sulpice parvint à m'attirer dans un coin du salon. Son visage et sa voix étaient graves. N'avais-je pas de mère, de tantes, de grandes sœurs pour me conseiller ? Cela lui fendait le cœur de me voir ainsi entreprendre pareil voyage et m'engager dans le redoutable inconnu de l'Afrique, si jeune, seule, avec un petit enfant ! Pouvait-elle m'aider d'une manière ou d'une autre ? Avais-je besoin d'argent ? Encore une fois, je faisais l'expérience de la bonté de l'étranger ! C'est pourquoi je ne permettrai à personne de soutenir que le monde est un ramassis d'égoïstes et d'indifférents ! Je rassurai Mme Sulpice de mon mieux.

En fin de journée, accompagnée de toute la famille Sulpice, Claire poussant le fauteuil roulant de Béatrice, Denis et moi, nous reprîmes le chemin des quais. Traversant un faubourg, nous passâmes devant une concession entourée d'une palissade d'où s'échappaient les accents d'une musique si étrange et si harmonieuse à la fois que j'osai y pénétrer. Une poignée de musiciens jouait devant un parterre de femmes et d'enfants qui nous firent place de bon gré. Je n'avais jamais vu de griots. Ni entendu de koras et de balafons. Je ne connaissais que les poèmes de Senghor composés pour ces instruments. Dans mon ravissement, je m'attardai trop longuement dans cette cour et faillis rater le bateau. Je garde le souvenir merveilleux des lumières de la ville, s'estompant lentement dans le lointain.

Nous reprîmes la mer qui dans l'intervalle était devenue houleuse. En effet, dès l'aube, nous dûmes faire face à une terrible tempête. Le ciel était parcouru d'éclairs. Des vagues de sept mètres de haut envoyaient valdinguer le *Jean Mermoz* de droite et de gauche tandis que des trombes d'eau s'abattaient sur les passagers du pont, grelottant sous des bâches. Je tenais bon. Je baignais les tempes de Denis d'alcool camphré avec l'impression que, malgré tout, j'étais indestructible. Le mauvais temps dura deux jours, puis le soleil revint. C'est par un matin radieux que nous abordâmes à Abidjan. Une camionnette du collège de Bingerville m'attendait. À mon grand regret, je ne vis rien de la ville que le chauffeur traversa en roulant à tombeau ouvert. Bingerville n'était pas encore devenue une banlieue quasi mitoyenne d'Abidjan. Une épaisse forêt d'arbres aux troncs pachydermiques séparait les deux agglomérations. La forêt baignait dans une obscurité, çà et là éclaircie par des rayons de soleil trouant la canopée. Des milliers d'insectes et d'oiseaux menaient grand bruit. Un de mes romans, *Célanire, cou-coupé*, est largement inspiré par mes premières impressions de la Côte-d'Ivoire. Comme mon héroïne, Célanire, je frissonnais d'une angoisse irraisonnée qui en même temps ne manquait pas de saveur. À Bingerville, je devais avoir une surprise désagréable. En ce temps-là, les Antillais, surtout les Martiniquais, ne se comptaient pas dans le personnel enseignant d'Afrique. M. Blérald, le principal du collège, était un mulâtre de Fort-de-France dont la femme du temps qu'elle s'appelait Mlle Gervaise avait effectué un remplacement en Guadeloupe. Ainsi, elle avait été mon professeur de français quand j'étais une brillante élève au Cours Michelet. Elle n'en croyait pas ses yeux de me retrouver dans un établissement si modeste. Elle était persuadée que j'avais intégré l'École Normale Supérieure et que je naviguais dans les hautes sphères de quelque prestigieux lycée français. La stupeur et la déception se peignaient sur son visage :

« Je ne pouvais croire qu'il s'agissait de la même personne ! s'exclamait-elle. J'avais beau lire dans la correspondance du ministère : Maryse Boucolon. Que s'est-il passé ? »

Ce ton apitoyé me déplut. J'expliquai avec désinvolture que j'avais été saisie d'un violent désir de changer ma vie trop bien réglée. J'avais donc planté là mes études et étais partie pour l'Afrique. Elle ne fut pas entièrement dupe de mon assurance. Par la suite, nos rapports furent toujours malaisés. Elle me traitait comme une jeune parente et aurait souhaité que je lui confie mes problèmes. Moi, je mettais son intérêt au compte d'une curiosité malsaine et je répugnais à m'ouvrir à elle. Quand elle s'aperçut que j'étais enceinte, elle murmura d'un ton de reproche :

« Pourquoi ne m'avez-vous rien dit ? »

Cette pitié m'ulcéra.

Le collège s'enorgueillissait de la présence d'un professeur de musique, une Guadeloupéenne. C'était la sœur de Gabriel Lisette, une des gloires politiques de l'époque. Ancien administrateur des colonies, il faisait lui aussi mentir « Tonton Jean ». Il avait fondé en 1947 le Parti Progressiste Tchadien, section locale du Rassemblement Démocratique Africain, de l'Ivoirien Félix Houphouët-Boigny. Fidèle admirateur du général de Gaulle, il soutenait son projet de Communauté et militait pour une décolonisation progressive et pacifique du continent africain.

Mlle Lisette avait connu et fréquenté mes parents. Elle aussi me traitait comme une parente, mais elle ne me blessa jamais par des questions insistantes. Malgré notre différence d'âge, nous devînmes les meilleures amies du monde. Elle souffrait d'une grave maladie neurologique ou avait été victime d'un AVC, je ne l'ai jamais su, ce qui affectait sa démarche et son élocution. Pour cette raison, elle était la risée de ses élèves qui, chaque après-midi, la suivaient jusqu'à la barrière de son jardin, en l'accablant de railleries et d'injures. Je ne pourrai porter un jugement sur la qualité de son enseignement musical. Je peux seulement témoigner de son intelligence, de sa sensibilité et de sa douceur. Elle m'entraînait dans de longues marches dans la forêt environnante qu'elle affrontait courageusement et dans son débit heurté, bégayant, elle m'entretenait de l'Afrique. À la différence de son frère, elle était aussi négative que « Tonton Jean ». Elle aussi soupirait amèrement :

« Les Africains nous détestent, nous les Antillais. »

Cependant, l'explication qui suivait était différente :

« Ils nous jalousent. Ils nous trouvent trop proches des Français qui se fient à nous parce qu'ils nous jugent supérieurs à eux. »

Je n'avais encore, quant à moi, aucune opinion valable sur ce point. Je restais donc silencieuse et elle poursuivait :

« Je ne cesse de mettre Gabriel en garde, mais il ne m'écoute pas, lui qui se dévoue tellement pour les Tchadiens. Un jour, ils lui diront en face qu'il n'est pas un des leurs. »

Malheureusement, elle voyait clair. Gabriel Lisette fut considéré comme l'âme des complots qui opposaient le Nord au Sud du Tchad et de ce fait, contraint à l'exil. Il dut tout abandonner et retourner à Paris où Michel Debré lui offrit un poste de ministre conseiller du gouvernement.

La petite agglomération de Bingerville ne manquait pas de charme. Un temps, elle avait eu rang de capitale de la Côte-d'Ivoire. Elle était dominée par l'Orphelinat des Métis. Cette énorme bâtisse en pierres datant du temps colonial figure amplement dans *Célanire, cou-coupé*. On y recueillait les enfants que les Français avaient faits à des Ivoiriennes. Dans la majorité des cas, la mère et la famille de la mère n'en voulaient pas, pas plus que les pères, souvent rentrés en France. Quand je vivais à Bingerville, l'Orphelinat abritait les derniers d'entre eux. On les voyait pâlots, rejetés des deux bords, se promener sans entrain dans les rues, accompagnés de surveillants aux allures de gardes-chiourme. Il y avait aussi une léproserie dont à la fureur des résidents antillais et des Français, nombreux à tous les niveaux des administrations, les pensionnaires allaient et venaient librement, exhibant leurs visages et leurs membres, horriblement déformés. D'innombrables affiches postées dans les lieux publics avaient beau assurer que si la lèpre était une maladie aux effets spectaculaires, elle n'était nullement contagieuse, personne ne voulait l'entendre. Enfin à un ou deux kilomètres de la petite agglomération, s'élevait un magnifique Jardin d'Essai, véritable paradis où croissaient les plantes les plus rares, originaires des quatre coins de la terre. J'aurais pu me blottir dans le cocon que représentait Bingerville et couler une vie sans apprêt : la semaine, préparation de mes cours, bien simplets vu le niveau des élèves ; le week-end, déjeuner et dîner chez l'un ou l'autre de mes compatriotes, suivis d'interminables parties de belote ; lors des congés, visites aux autres Guadeloupéens et Martiniquais affectés à Bouaké, à Man ou dans d'autres régions du pays.

Car, je m'en aperçus tout de suite, les Antillais ne vivaient qu'entre eux. À travers l'ensemble du continent africain, un fossé les séparait des Africains. Ils ne se fréquentaient pas et je fus tentée de me faire une opinion sur les raisons d'une telle situation. Je me refusai à croire, ce qui était communément admis, que les Africains détestaient les Antillais. Qu'ils les croyaient habités d'un sentiment de supériorité qu'à leurs yeux, rien ne justifiait. N'étaient-ce pas d'anciens esclaves, disaient-ils avec mépris, confondant esclavage domestique et esclavage de traite ? Une telle conviction me paraissant simpliste, je préférais me persuader qu'ils ne les comprenaient pas, trouvant offensante leur involontaire occidentalisation. Quant aux Antillais, l'Afrique était un mystérieux *background* qui leur faisait peur et qu'ils n'osaient pas déchiffrer. Moi, au contraire, cet inconnu à l'entour de moi m'attirait et m'intriguait. Je commençai par prendre comme objet d'études mon boy, Jiman. Il avait l'âge d'être mon père comme l'indiquait sa toison blanche. Un jour, il s'était arrêté devant la haie que je taillais tant bien que mal et m'avait offert ses services pour une somme que j'avais jugée ridicule. Il venait des sables du Niger et m'ouvrit les yeux sur la pauvreté, la douloureuse nécessité de l'exil et la recherche de la survie. C'est lui qui m'apprit la violence des conflits intertribaux en me révélant les pogroms survenus, un an auparavant, en octobre 1958 contre les originaires du Dahomey. Le Dahomey, alors qualifié de Quartier Latin de l'Afrique à cause d'une meilleure scolarité, ne pouvait pas nourrir ses enfants qui étaient attirés par l'évidente prospérité de la Côte-d'Ivoire. Dans les années à venir, toutes sortes d'immigrés allaient affluer vers Abidjan avant que les vagues de la xénophobie ne la submergent. Jiman traitait Denis avec dévotion, ce qui me faisait un peu honte, car j'avais conscience d'être une mère lointaine, trop absorbée par ses propres démons.

« Est-ce que Jiman, c'est mon papy ? » me demanda un jour Denis avec gravité.

Bientôt, j'élargis mon champ de recherche en me laissant courtiser par Koffi N'Guessan, le directeur du Jardin d'Essai. Il ne se passa jamais rien entre nous. Je me rappelle que je le laissais serrer mes mains entre les siennes tandis qu'il me fixait d'un regard bovin. Courtaud et bedonnant, il était de surcroît polygame, marié à trois ou quatre épouses, père d'une douzaine d'enfants. Je ne sais plus pourquoi j'étais sensible à ses attentions. À la grande fureur de Jiman, il m'envoyait au moment des repas des plateaux chargés de succulents plats ivoiriens avec lesquels, vu la modicité de mon budget cuisine, il ne pouvait rivaliser : foutou banane, foutou igname, sauce graine, sauce feuille, kedjenou, attièkè... Le plus intéressant est qu'il était un fervent admirateur d'Houphouët-Boigny et occupait de hautes responsabilités au sein de la section locale du RDA. Aussi, il m'emmenait dans sa Jeep à des réunions politiques. Nous ne quittions jamais la région côtière. L'océan gris, étale, bouillonnait brusquement d'écume à l'endroit de la barre. Des nuées de gamins se bousculaient dans l'eau et bravaient la mort en braillant. Une fois, nous poussâmes jusqu'à Grand Bassam. L'atmosphère était triste, la mer comme toujours lourde, sans relief, pareille à une pierre tombale jusqu'au surgissement de la barre. Pendant que Koffi s'engouffrait dans la permanence du Parti, je déambulai le long des rues pavées, imaginant le temps où les navires des riches compagnies bordelaises ou nantaises, arrêtés au-delà de la barre, attendaient leurs chargements. Des nageurs et des flottilles de pirogues leur emmenaient leurs fûts d'huile de palme. J'entrai dans un ancien entrepôt qui tombait en ruine. Grand Bassam agonisait alors. Le tourisme ne l'avait pas encore ressuscitée avant que les guerres civiles, les affrontements entre Laurent Gbagbo et Alassane Wattara ne la détruisent à nouveau.

Quand j'y assistais, je ne comprenais pas grand-chose aux meetings politiques puisque les orateurs parlaient dans les langues du pays. C'étaient pour moi des spectacles, des opéras baroques et hermétiques dont je ne possédais pas le livret. J'étais sensible à la massive présence des femmes, vêtues de pagnes aux impressions éloquentes : « Vive Houphouët-Boigny », « Vive Philippe Yacé », « Vive le RDA », à la fougue des discours, aux chants du Parti et aux tirades forcenées des griots. Dans mon premier roman, *Heremakhonon* (1976), bien que l'action ait été inspirée par les évènements de Guinée, quand le jeune héros Birame III, convaincu que les idéaux de la Révolution sont trahis, refuse de se soumettre, je prête à son professeur, l'Antillaise Véronica, les sentiments qu'éveillaient en moi ces assemblées. En Côte-d'Ivoire, j'éprouvais le sentiment qu'une nouvelle Afrique s'efforçait de naître. Une Afrique qui ne se fierait plus qu'à ses seules forces. Qui se débarrasserait de l'arrogance ou du paternalisme des colonisateurs. J'éprouvais le douloureux sentiment d'être tenue à l'écart.

Peu après, je me rendis au port d'Abidjan, pour saluer Guy Tirolien qui regagnait son poste après une mission en France. Je l'ai dit, Guy Tirolien avait divorcé de ma sœur Ena et il s'en était suivi une brouille tenace entre nos deux familles, autrefois si fières de cette union. Voilà que les enfants des Grands Nègres se mariaient entre eux et fondaient des dynasties. Si j'étais restée en bons termes avec Guy, c'est qu'en secondes noces, il avait épousé Thérèse avec qui j'avais fait toute ma scolarité à Pointe-à-Pitre. Mais ce n'était pas la seule raison. Guy et moi nous nous sentions étrangement proches l'un de l'autre. J'admirais son intelligence, sa modestie, sa détermination et je n'étais pas loin de le considérer comme un modèle. Il était de ces administrateurs des colonies qui faisaient mentir « Tonton Jean ». Fervent adepte du RDA, lui aussi, il avait œuvré dans tous les postes qu'il avait occupés depuis 1944, pour le rapprochement des Antillais et des Africains dans la perspective de l'émancipation des Peuples Noirs. À Paris, il avait été un des fondateurs de la revue *Présence Africaine* aux côtés d'Alioune Diop. Nous nous jetâmes dans les bras l'un de l'autre.

« Est-ce que tu aimes l'Afrique ? » tonna-t-il, me couvrant de son regard brûlant.

Je bredouillai que oui. Cependant je venais d'arriver en Côte-d'Ivoire et la connaissais encore bien mal.

« Il faut l'aimer ! affirma-t-il. C'est notre mère à tous qui a beaucoup souffert. »

Là-dessus il se lança dans un panégyrique de Houphouët-Boigny qui allait bientôt être élu président. Houphouët-Boigny, fondateur du RDR, avait aboli le portage et les travaux forcés. Il travaillait à l'émancipation de l'homme noir. Tout en l'écoutant, je ne pouvais m'empêcher de dévorer des yeux la mère de Thérèse qui les accompagnait pour prendre soin de leurs trois jeunes enfants. Comme j'aurais aimé que ma mère soit avec moi. Il est vrai que la fière Jeanne Quidal ne m'aurait certainement pas suivie dans ce trou perdu d'Afrique ! Thérèse se rendit compte de ma tristesse. « Comment te portes-tu ? me glissa-t-elle sur un tout autre ton. Pas trop fatiguée ? »

J'assurai que non. Nous partageâmes le déjeuner, puis je repris un taxi à la gare routière. Cette visite me laissa en proie à des sentiments assez douloureux. Je me sentais esseulée à Bingerville, mal équipée pour aider l'Afrique qui en avait si visiblement besoin.

Désormais, je multipliai les sorties avec Koffi N'Guessan et les visites à Abidjan. Dès que je n'avais pas de cours, je sautais dans un « taxi-pays ». Mon œil, véritable caméra, enregistrait tout. Les matrones, bébés au dos, assises sur de minuscules escabeaux et proposant toutes sortes de nourritures, les vendeurs à la sauvette, les policiers patrouillant deux par deux. Bien qu'elle n'ait pas encore atteint son statut de capitale économique de l'Ouest Africain (statut que ses récents déboires lui ont fait perdre) Abidjan était fort vivante, presque opulente. Alors, un seul pont franchissait la lagune, le pont Houphouët-Boigny, construit entre 1954 et 1957. Les véhicules s'y bousculaient. Bon nombre d'entre eux étaient conduits par des autochtones, ce qui laissait supposer la naissance d'une classe bourgeoise. Les différents faubourgs entourant le Plateau, Treichville, Adjamé, Marcory, agréables et prospères, débordaient d'activité. Qu'on était loin des images que j'avais gardées de Dakar !

Cependant, comme durant ces fréquentes randonnées en ville, je ne parlais à personne, je n'avais pas l'impression de faire de grands progrès dans la connaissance de l'Afrique. Je n'étais toujours et partout qu'une spectatrice. Ce que je n'avais pas prévu, c'est que mon passé me rattraperait. Jocelyne Étienne, une Guadeloupéenne qui avait habité avec moi au Foyer Pierre de Coubertin, rue Lhomond, occupait des fonctions importantes au ministère de la Culture. Nicole Sala, une autre Guadeloupéenne que j'avais aussi connue à Paris, habitait Abidjan. Nicole s'était mariée à un Africain, ce qui n'avait nullement choqué notre milieu étroit car Seiny Loum n'était pas le premier venu. Avocat de talent, il serait nommé un des premiers ambassadeurs du Sénégal indépendant. Jocelyne et Nicole qui recevaient à leur table des hommes politiques ainsi que des notables, tant Africains qu'Antillais, m'invitèrent fréquemment chez elles. En dépit de leur extrême cordialité, j'avais l'impression qu'elles obéissaient à un devoir de solidarité entre compatriotes et au respect de nos anciennes relations. Je croyais déceler en elles un certain embarras. Je faisais triste figure au milieu de ces assemblées sélectes. Obscure enseignante dans un collège « de brousse », bientôt mère d'un deuxième enfant sans père connu, je ne possédais même pas de voiture et empruntais pour circuler les « taxis-pays », bondés d'Africains du peuple. J'aurais pu refuser ces invitations. Mais je n'y parvenais pas. Aussi, ce divorce entre intention et réalité était prétexte à de douloureuses introspections. Sur quoi reposait cette haine du bourgeois que je commençais d'afficher ? Mon comportement n'était-il pas dicté par le regret de m'être moi-même exclue de la « bonne société » ? Je n'avais tenu aucune des promesses que j'avais tacitement faites à ma famille et à mon milieu. Comme je le raconte dans mon récit *Victoire, les saveurs et les mots*, mon père et ma mère se targuaient orgueilleusement d'être de « Grands Nègres ». Ils entendaient par là qu'ils avaient pour mission de servir d'exemple à leur Race tout entière. (Notons que le mot de « Race » n'était pas encore problématique comme il l'est aujourd'hui.) Quel jugement mes parents porteraient-ils sur cette dernière fille qui avait suscité tant d'espoirs ? Au terme de lucides et cruels examens de conscience, j'arrivais à la conclusion que j'étais une hypocrite.

C'est à ce moment que Gillette qui m'écrivait parfois, m'annonça le décès de notre père. Ce dernier, je l'ai dit, ne m'avait jamais beaucoup aimée. Marié deux fois, il avait eu dix enfants ; j'étais la dernière, et je n'étais qu'une fille. En outre sous mes airs avantageux, il décelait une faiblesse, une vulnérabilité qui lui déplaisait. Pourtant sa mort me porta un coup terrible.

L'île où j'étais née n'abritait plus que des tombes. Elle m'était défendue à tout jamais. Ce deuxième décès dénouait le dernier lien qui me rattachait à la Guadeloupe. Je n'étais pas seulement orpheline ; j'étais apatride, une SDF sans terre d'origine, ni lieu d'appartenance. En même temps, cependant, j'éprouvai une impression de libération qui n'était pas entièrement désagréable : celle d'être désormais à l'abri de tous jugements.

Je vivais donc dans une sorte d'inconfort mental, rarement en paix avec moi-même, souvent très malheureuse, quand un bonheur extraordinaire vint submerger mon être. Le 3 avril 1960, ma première fille, Sylvie-Anne, naquit. Ma grossesse avait été exemplaire. Pas une nausée, pas une crampe. L'avant-veille de mon accouchement, j'avais accompagné Denis et Mlle Lisette dans une randonnée de plusieurs kilomètres avant de sauter dans la voiture d'un collègue martiniquais, Caristan, qui devait me conduire à l'hôpital central d'Abidjan, car j'étais à terme. Aussitôt que la sage-femme eut placé Sylvie-Anne dans mes bras, je fus inondée d'amour maternel. Dieu m'est témoin que, malgré les conditions de sa naissance, je n'ai jamais traité Denis en souffre-douleur ou en bouc émissaire. Pourtant, au fur et à mesure qu'il grandissait, tout en lui me rappelait son père que je haïssais à présent. Son teint clair, son sourire, le brun de ses yeux, son rire, le son de sa voix. L'amour que je lui portais était toujours mêlé de souvenirs de douleur. Récemment encore, assistant à une projection de *The Agronomist*, je ne sais pas sur qui je pleurai. Mon fils ? Ou Jean Dominique abattu comme un chien ? Avec Sylvie-Anne, tout était différent. Tout était simple.

Jamais pareils flots de tendresse ne m'avaient inondé le cœur. La nuit, je me réveillais, haletante et me précipitais auprès de son berceau pour m'assurer que mon précieux bébé était en vie. Émerveillée, je la contemplais pendant des heures. C'est l'intensité de cet amour qui me poussa à écrire à Condé à qui je ne donnais jamais de nouvelles. Je lui proposai de faire la connaissance de sa fille. Je le sentais : je n'avais pas le droit de priver cette enfant de son père. Condé me répondit promptement qu'il en serait très heureux et m'invita à le rejoindre en Guinée pendant les prochaines grandes vacances.

Le 7 août 1960 à l'occasion des fêtes de l'Indépendance à Abidjan, je me coinçai dans la Jeep de Koffi N'Guessan qu'occupaient déjà ses deux plus jeunes femmes, les deux aînées ayant pris leur voiture particulière. Elles étaient pareillement vêtues de somptueux pagnes brodés, couvertes de lourds bijoux et coiffées de volumineux mouchoirs de tête. Elles me fixèrent avec une curiosité inquiète comme si j'étais un étrange animal dont elles ne savaient ce qu'elles pouvaient attendre. J'étais femme. Elles étaient femmes et pourtant, cela ne créait aucun lien entre nous.

« Elles ne parlent pas le français ! » jeta Koffi en guise de présentation.

Tous les abords de la ville étant barrés par d'épais cordons de police, nous dûmes laisser la Jeep dans un parking avant de continuer notre route à pied. Les rues étaient encombrées par une foule considérable. Nous avancions péniblement, assourdis par les battements du tam-tam et les hurlements des griots, évitant de justesse les bouffons, les acrobates et les danseurs dont certains, juchés sur des échasses, exécutaient les entrechats les plus burlesques. Les deux coépouses entrèrent dans un local du RDA tandis que Koffi et moi restions dehors, debout sous le chaud soleil. Nous attendîmes une heure dans ce tumulte. Enfin Houphouët-Boigny apparut dans une voiture décapotée qui roulait au pas. En ces années où la télévision était un luxe, je ne le connaissais que par les clichés des journaux et je le dévorai des yeux. Il était petit, assez fluet, le masque inquiétant et impénétrable à la fois, comme taillé dans du vieux cuir. Il répétait en agitant gauchement les bras :

« Tous ensemble, Blancs et Noirs ! Venez sur le bord de la route. »

La foule en liesse hurlait tandis que je me répétais que j'étais témoin d'un moment historique.

Malgré les supplications de Koffi qui avait beau expliquer que je venais de très loin (de Guadeloupe ?) exprès pour assister aux cérémonies, les gardes m'interdirent l'entrée de l'Assemblée Nationale où avait lieu l'intronisation proprement dite. Je n'avais en effet ni invitation à mon nom, ni carte du RDA, ni carte d'électeur dûment validée. Je dus rebrousser chemin, en proie à un douloureux sentiment d'exclusion. C'était la première fois, mais certainement pas la dernière que je devais le ressentir en Afrique. À la gare routière, je montai à bord d'un « taxi-pays » vide. Le chauffeur, chevelu comme un enfant-fétiche, m'administra ma première leçon de ce qu'on appelle le « tribalisme ». Morose, il semblait loin de partager l'allégresse dont j'avais été le témoin :

« Pourquoi ? lui demandai-je. N'était-ce pas un grand jour ?

— Houphouët-Boigny là, me répondit-il, c'est un Baoulé. Moi, je suis bété !

— Qu'est-ce que tu veux dire ? » insistai-je.

Il haussa les épaules :

« Je veux dire qu'à présent les Baoulé auront tout et que, moi Bété, je continuerai à n'avoir rien. »

De retour à Bingerville, j'allai chercher Denis et Sylvie que j'avais confiés aux Caristan. Indifférents aux évènements politiques, ils jouaient à la belote :

« Cela s'est bien passé ? » me demanda M. Caristan.

Il enchaîna sans attendre ma réponse :

« Cela ne changera rien à rien, tu verras ! Les Blancs continueront de faire la loi. Comme Senghor, cet Houphouët-Boigny est leur créature. Il a été je ne sais combien de fois ministre dans des gouvernements français. C'est un pion. »

Là encore, je n'avais pas d'opinion. Celle de M. Caristan était à l'opposé des idées de Guy Tirolien, et surtout de Koffi N'Guessan, pour qui Houphouët-Boigny était un leader fort comme un éléphant, emblème du RDA, uniquement soucieux d'émanciper son peuple. Je gardai le silence et acceptai une tasse de café des mains de Mme Caristan.

Quelques jours plus tard, Koffi s'enhardit et me déclara sa flamme. Il me fit miroiter un poste au lycée d'Abidjan où il me ferait recruter et il me fit visiter un appartement où je serais logée lors de la prochaine année scolaire. L'appartement ultramoderne, avec vue sur la lagune, était magnifique. Je n'avais que faire des sentiments que Koffi éprouvait pour moi. Mais je ne me voyais guère passant une deuxième année à Bingerville. Aussi, je me laissai embrasser et acceptai les propositions qui m'étaient faites. N'empêche ! La semaine suivante, ayant payé deux mois de salaire à Jiman, mon boy bien-aimé, je m'envolai avec mes deux enfants pour la Guinée comme j'en avais convenu avec Condé.

Si je cherche à évaluer ce que je retirai de ce premier séjour en Afrique, je suis forcée de reconnaître que le bagage final demeure bien mince. Au cours d'une visite à Bouaké, j'avais fait l'acquisition d'une collection d'images de fertilité baoulé. C'étaient des poupées en bois avec de curieuses têtes rondes et des bras rigides étendus à l'horizontale. Elles me fixent aujourd'hui encore de leurs yeux vides et me semblent un symbole. Je ne vis rien. Je n'entendis rien.

Cependant, la Côte-d'Ivoire, premier pays d'Afrique auquel j'abordai, me laisse des images ineffaçables. Je n'oublierai jamais l'émerveillement que j'éprouvai en pénétrant dans la cathédrale baroque de la forêt alors que je me rendais à Bingerville ; le coup au cœur que me portèrent les vestiges du passé colonial à Grand Bassam ; l'admiration que je ressentais devant la beauté des femmes, leurs coiffures, leur manière de se vêtir et de se couvrir de bijoux. Aussi récemment que l'année 2010, quand j'écrivais mon dernier roman *En attendant la montée des eaux*, je ne pus m'empêcher de faire vivre Babakar, un de mes héros, à Abidjan. La ville avait été ravagée par des années de guerre civile. C'était ma manière d'exprimer mon chagrin et mes regrets de ce qu'elle était devenue.

Moi qui devais par la suite effectuer tant de voyages aériens, c'était la première fois que je prenais l'avion. À l'instar de Denis, je n'en menais pas large. Le nez collé au hublot, j'observai en frissonnant l'épais tapis vert sombre de la forêt qui se déroulait sous l'appareil, le rouge sanguinolent de la terre, puis l'océan démesuré, éblouissant.

Deuxième vol au-dessus d’un deuxième nid de coucou

En 1960, Conakry ne pouvait soutenir la comparaison avec Abidjan ni même avec Bingerville. C’était une agglomération de rien du tout. Seule la mer la parait, violette, somptueuse, fouaillant des cayes déchiquetées. Quelques rares édifices avaient belle allure. C’étaient des bâtiments administratifs, des banques, des magasins d’État. Tout le reste était constitué d’informes constructions en dur. Les femmes s’agglutinaient autour de fontaines où gouttait une eau rare. Les enfants qu’elles portaient au dos ou traînaient après elles avaient tous les signes du *kwashiorkor*. Comme les hommes, elles portaient des habits défraîchis, presque en haillons. Je n’avais jamais vécu dans un pays à forte prédominance musulmane. J’ignorais tout de l’Islam. Aussi, je fus bouleversée par les talibés grelottant dans la fraîcheur de l’aube en psalmodiant la toute-puissance de Dieu, les mendiants, les estropiés se pressant aux abords des mosquées. Éperdue d’admiration, je contemplais les Sages trônant dans la poussière, yeux perdus dans la méditation, et roulant les grains de leur chapelet. J’admirais l’envol des garçonnets, leurs planchettes sous le bras, vers les écoles coraniques.

Bref, je tombai en amour pour un lieu qui semblait tellement déshérité. De toutes les villes où j'ai vécu, Conakry demeure la plus chère à mon cœur. Elle a été ma véritable porte d'entrée en Afrique. J'y ai compris le sens du mot « sous-développement ». J'ai été témoin de l'arrogance des nantis et du dénuement des faibles.

Le jour de mon arrivée, à l'aéroport, Condé embrassa avec une égale effusion sa fille Sylvie et Denis qu'il voyait pour la première fois.

« Je peux vous appeler "papa" ? lui demanda ce dernier cérémonieusement.

— Mais je suis ton papa ! » lui répondit Condé dans un grand éclat de rire.

Si incroyable que cela puisse sembler, ce fut la seule allusion que nous fîmes à la situation de Denis. Nous ne parlâmes jamais de Jean Dominique. Condé ne chercha jamais à savoir qui était le père de Denis ni les circonstances de sa naissance. Sans doute, malgré son silence, Condé voyait-il clair. Il savait que l'Afrique m'était largement refuge. Il savait que sans mon douloureux passé je ne l'aurais jamais épousé. Ce fut entre nous le plus effrayant des non-dits. Je dois reconnaître qu'à sa manière peu démonstrative, il adopta Denis. Il ne le traita jamais différemment des autres enfants que nous eûmes par la suite.

Condé était accompagné de Sékou Kaba, un ancien camarade d'école qui occupait le poste de directeur de cabinet au ministère de la Fonction publique. Cet homme gracile et taciturne devait devenir mon soutien indéfectible. Moi qui gardais la nostalgie de mon aîné Guy, Guito, emporté à ses vingt ans par cette « maladie des Boucolon » – troubles de l'équilibre, troubles de l'élocution, troubles de la coordination des mouvements – qui saisit l'un après l'autre les membres de ma famille, je trouvai en lui un grand frère et un mentor. Il n'y eut jamais rien d'amoureux ni de sexuel entre nous. Syndicaliste, il avait, lorsqu'il faisait des études à Dakar, partagé une chambre avec Sékou Touré. Il ne le fréquentait plus depuis qu'il occupait de hautes fonctions, mais il le révérait comme un Dieu. Il m'enseigna le « socialisme africain », me donna à lire les indigestes volumes publiés localement sur l'histoire et le rôle du PDG (Parti Démocratique de Guinée) ainsi que les hagiographies du Président et de certains de ses ministres.

Condé et moi, ayant aussi peu d'argent l'un que l'autre, nous demeurions chez lui. Il habitait dans le quartier populeux du Port une modeste villa qu'occupaient, outre sa femme et ses deux filles, une multitude de frères, de sœurs, de cousins, de cousines, de beaux-frères, de belles-sœurs. La villa étant située à deux pas d'une mosquée, chaque matin, nous étions réveillés par le premier appel du muezzin auquel je ne m'habituais pas et qui à chaque fois me précipitait à genoux hors du lit. En écoutant cette voix pressante, je rêvais d'accomplir quelque grande action. Mais laquelle ? Du lit, Condé me regardait, goguenard :

« Trop exaltée, ma fille ! Trop exaltée ! » commentait-il.

Malgré mes efforts, je ne parvins jamais à être proche de Gnalengbè, la femme de Sékou alors que j'aurais tant aimé qu'elle me traite comme une sœur aînée. Je l'entendais rire aux éclats et bavarder dans la cuisine. Mais, il suffisait que j'apparaisse pour qu'elle se taise et se fige. Je finis par me plaindre à Sékou :

« Est-ce que je lui fais peur ? lui demandai-je, ulcérée.

— Tu l'intimides ! me répondit-il après une hésitation.

Elle ne sait pas bien parler le français. Elle n'est guère allée à l'école. Elle porte des pagnes… Tu comprends ? Elle est un peu complexée devant toi. Si tu apprenais le malinké, tu te rapprocherais déjà d'elle. »

Cette recommandation que je ne cessai d'entendre ne tarda pas à m'exaspérer. Car je le compris très vite, si on voulait déchiffrer les sociétés africaines, il fallait pouvoir s'entretenir avec elles. Pourtant, quelles langues choisir dans la pluralité de celles qui existaient ?

Apprends le malinké ! conseillerait un Malinké.

Apprends le fulani ! dirait un Peul.

Apprends le soussou ! interviendrait un Soussou.

Sékou ne se résignait pas à ma situation conjugale avec Condé et ne voulait pas entendre parler de divorce. Il me suppliait d'abandonner la Côte-d'Ivoire et de rejoindre la Guinée où, vu ses fonctions, il se faisait fort de me trouver un poste d'enseignante. Ce fut sous son affectueuse pression qu'un matin, je me rendis au Service de l'Immigration. Brandissant mon livret de famille tout neuf, je demandai un passeport guinéen. Là-dessus, aucune ambiguïté : ce ne fut pas une décision politique, un geste de foi militante. Il est certain que j'abandonnai ma nationalité française avec une réelle joie. Mais pour moi, je manifestais avant tout ma liberté. Cette réappropriation matérielle de l'Afrique me prouvait qu'allant plus loin que le chef de file de la Négritude, mon maître à penser, je commençais de m'assumer.

« Remplissez cela ! m'ordonna un employé d'un air ennuyé, posant sur le comptoir une petite pile d'imprimés.

— Pas la peine ! » assura un autre surgissant derrière son dos.

Et raflant la liasse de documents, il expliqua d'un ton suffisant :

« La nationalité guinéenne lui est donnée de surcroît à celle qu'elle possède déjà, grâce à son mariage. C'est un plus, un ajout. »

J'avoue que je ne compris rien à ces propos. N'empêche ! J'empochai allègrement le magnifique document vert qu'on me délivra sans me douter qu'il allait plus tard me brûler les doigts. Je ne pouvais pas m'imaginer qu'un jour je reviendrais à ma nationalité française et que je remercierais le ciel de n'avoir, à tort ou à raison, rempli aucun document ce jour-là.

Condé, lui, feignait de ne pas intervenir dans mes décisions et ne me proposait nullement de reprendre la vie commune. Je me demande s'il ne savait pas que tôt ou tard, nous allions nous séparer. Il entourait les enfants de soins paternels. Il baignait Sylvie-Anne, bouchonnait son corps avec un paquet d'herbe sèche locale. Chaque après-midi, il enfilait un short et un tee-shirt et hélait Denis :

« Viens ! lui ordonnait-il. On va jouer au ballon. »

Le pauvre abandonnait ce qu'il faisait et le suivait, éperdu de bonheur. Il n'avait jamais été à pareille fête.

L'Histoire se répète… sans se répéter

Je ne demeurai que quelques semaines en Guinée, puis je m'envolai pour la France avec Denis et Sylvie. La flotte guinéenne était composée d'appareils russes, très confortables, des Iliouchine 18 flambant neufs. Encore aujourd'hui, je me demande ce que j'allais chercher à Paris, pourquoi je ne terminai pas les vacances à Conakry. La capitale demeurait pour moi pleine de souvenirs douloureux. Ena continuait de m'ignorer, Gillette se disait trop occupée pour me voir souvent. Parmi mes seules amies, Eddy terminait ses études à Reims tandis qu'Yvane était encore plus loin. Elle venait de se marier à un ingénieur agronome français et habitait Dschang au Cameroun. Peut-être voulais-je aligner mon comportement sur celui des fonctionnaires coloniaux pour qui les congés en France sont sacrés. Je pense aussi que personne ne m'espérant nulle part, sous aucun ciel, je meublais ma solitude de mon mieux.

Et puis, pourquoi m'éterniser chez Sékou Kaba ? La vie n'y avait guère de charme. Tandis que Condé, qui possédait à l'extrême le don de farniente, dormait toute la matinée, je m'ennuyais à lire les indigestes volumes de l'Histoire du PDG. Quand Sékou revenait de son bureau, nous dînions dans un brouhaha de pleurs d'enfants, de querelles conjugales entre les frères, les beaux-frères, les cousins, leurs épouses et leurs coépouses, de hurlements de griots à la radio, d'acclamations venues d'un stade tout proche. J'avais ensuite le choix : rester à la maison écouter d'incompréhensibles programmes en langue nationale à la radio pendant que Gnalengbè et ses visiteuses s'esclaffaient dans la cuisine ou sortir avec Condé et Sékou qui passaient leurs soirées dehors. Je m'aperçus très vite que ce choix n'était pas le bon. Les amis que visitaient les deux hommes m'asseyaient devant un verre de jus de tamarin, puis m'oubliaient totalement. Ils s'engageaient dans d'interminables conversations des plus animées et des plus bruyantes en malinké. Personne ne s'occupait de moi. Je finis par me résigner à rester à la maison, allongée sur mon lit avec un volume de l'Histoire du PDG tandis que Gnalengbè et ses amies menaient grand train dans le living-room. Peu à peu, je comprenais qu'il ne suffisait pas d'apprendre à parler le malinké, mais qu'il fallait surtout apprendre à considérer le monde comme composé de deux hémisphères distincts, celui des hommes et celui des femmes.

Je retrouvai Paris sans enthousiasme. Avec le peu d'argent dont je disposais, je confiai Sylvie et Denis à Mme Bonenfant qui manqua mourir de bonheur. Cette fois, je la réglai à l'avance. Ensuite, je me trouvai une chambre à la Cité Universitaire du boulevard Jourdan. Je m'occupais de mon mieux. Le matin, je flânais dans les rues, entrant dans les librairies et visitant les musées et les galeries d'art. L'après-midi, j'assouvissais ma passion pour le cinéma. J'assistai au Luxembourg à une rétrospective de Louis Malle qui n'en était pas une pour moi. Ainsi, je pus admirer *Ascenseur pour l'échafaud, Les Amants, Zazie dans le métro*. J'étais passée maîtresse dans l'art de rembarrer les amateurs d'exotisme qui me harcelaient.

C'est alors que je vécus ce que j'appelle ma deuxième passion haïtienne. Elle fut tellement différente de la première qu'on aurait pu penser que le sort me l'envoyait ainsi qu'une revanche ou se moquait carrément. Qu'il me jouait un tour à sa manière inimitable : Haïti qui m'avait détruite, me revenait.

Un soir que je revenais du Restaurant Universitaire, un groupe de jeunes gens m'aborda :

« Est-ce que vous êtes haïtienne, mademoiselle ? »

Ils étaient une demi-douzaine. Pourtant, un seul d'entre d'eux retint mon attention. Il s'appelait Jacques V… Pas très grand – de haute taille moi-même, j'ai toujours eu un faible pour les petits hommes –, la peau d'un noir brillant, la bouche lourde et sensuelle, le front large couronné d'une masse de cheveux frisés, le regard mélancolique. Je fus très vite frappée du respect dont ses camarades l'entouraient, car il était le fils naturel de François Duvalier, devenu président de la République malgré les efforts de Jean Dominique. François Duvalier s'était vite révélé un dictateur impitoyable, un « Moloch Tropical » selon l'expression du cinéaste Raoul Peck. Sous ses ordres, les Tontons Macoutes menaient le bal, massacrant des familles entières tandis que ceux qui le pouvaient prenaient le chemin de l'exil. Pourtant, jamais cette horrible réalité politique ne trouva place entre nous. Ni la culture. Ni la littérature. Le monde s'abolissait autour de nous. Les cris du monde n'arrivaient pas à trouer le fabuleux néant dans lequel nous étions ensevelis. En juin 1960, le Congo belge avait accédé à l'indépendance. En juillet, la province du Katanga faisait sécession. Lumumba, Kasa-Vubu, Tschombé, Mobutu, ces noms « surgis de la sylve équatoriale » s'étalaient en première page des journaux que nous ne lisions pas. Seul comptait le désir inextinguible que nous éprouvions l'un pour l'autre.

Ce ne fut pas cette fois un noble amour intellectuel. Ce fut un vorace dialogue des corps. Pendant des semaines, nous restâmes littéralement enfermés dans sa chambre, sans nous parler, presque sans manger, à part d'occasionnelles tranches de pain tartiné au mamba. À faire l'amour. Nous ne mettions le nez dehors qu'à la nuit pour aller à « L'Élysée Matignon » ou à « La Cabane Cubaine ». Si je dis que Jacques adorait danser, je demeure très loin de la vérité. Il y mettait le feu, la passion, la rage qu'il mettait à faire l'amour. C'était la grande époque des Afro-Cubains : mambos, cha-cha-cha. Celia Cruz et la Sonora Matancera, l'Orquesta Aragon étaient les rois. Moi, je n'avais jamais su danser. J'avais été élevée par mes parents dans la raillerie et le mépris de ces attributs que l'Occident confère aux Noirs : sens du rythme, sensualité exacerbée. Je comprenais soudain que Jacques manifestait vis-à-vis de son corps une liberté dont j'avais été cruellement privée. Je ne tentais pas de l'imiter alors qu'il évoluait sur la piste au milieu des applaudissements des autres danseurs, car je le savais, je me serais couverte de ridicule. Pétrifiée d'envie et de jalousie, je restais tassée à ma table devant mon verre de Planteur, essayant de faire bonne figure. Nous nous attardions en boîte jusqu'aux premières heures du matin. Quand nous retrouvions l'air du dehors, Paris était livide et les balayeurs Sarakollé vêtus de tabliers fluo caracolaient à travers les rues. Nous nous engouffrions dans le premier métro, rempli de fêtards endormis et revenions nous enfermer à la Cité Universitaire. Qu'on ne vienne pas me reprocher d'avoir fait l'amour avec le fils d'un des plus sanguinaires dictateurs qui aient jamais existé. Jacques n'était pas cela pour moi. Je vivais une passion. La passion n'analyse pas, ne fait pas la morale. Elle brûle, elle incendie, elle consume.

Et pourtant, à la mi-octobre, je trouvai le courage de regagner ma chambre sans réveiller Jacques qui, vanné, ronflait. Je fis fiévreusement mes valises et dans le brouillard, je pris le premier train en direction de Chartres. Là, je récupérai Sylvie et Denis, puis m'étant rendue à Orly, je m'envolai pour la Guinée. Je n'ai toujours pas clairement compris pourquoi je m'infligeais pareille blessure. Je crois maintenant que ce fut la conséquence d'une perversion de mon sentiment maternel. J'étais convaincue d'agir pour le bien de mes enfants. Trêve d'inconscience ! Trêve d'égoïsme ! Il ne fallait pas que Denis et Sylvie-Anne grandissent dans l'anormalité d'un foyer monoparental. Il fallait qu'ils possèdent un pays, un toit et un père. Ce pays était la Guinée, ce toit était à Conakry, ce père était Condé. Je me demande encore comment je parvins à voyager jusqu'à Conakry. À peine arrivée à destination, je m'évanouis dans la voiture de Sékou Kaba, terrifié. J'atteignis bientôt un tel degré de faiblesse que je dus m'aliter. J'avais constamment des vertiges et des évanouissements. J'étais incapable des actes les plus simples : boire, manger, me laver, m'habiller. Je passais le plus clair de mon temps, prostrée sur le lit de ma chambre.

« Maman, tu ne vas pas mourir ? » murmurait Denis. Je le pressais contre moi sans pouvoir lui répondre.

Gnalengbè et Condé mettaient tous deux mon état au compte de la malaria qui faisait rage dans le pays. Une véritable épidémie. La première me forçait à avaler des comprimés de quinine et des tasses de quinquéliba, infusion amère qui est censée tout guérir. Le second ne tentait pas de m'interroger sur ce qui avait pu se passer pendant mon séjour à Paris, car j'étais visiblement choquée.

Je me mouvais comme un zombie, sursautant quand on m'adressait la parole. Sans protester, Condé s'en alla dormir sur une natte déroulée dans le salon au milieu de parents adolescents éberlués quand j'eus le courage de lui faire comprendre que je ne pouvais plus supporter son contact. Sékou Kaba était le témoin consterné de la débâcle de notre couple. Une lettre d'Eddy m'apprit que Jacques était venu jusqu'à Reims lui demander mon adresse à Conakry. Son comportement et ses propos étaient ceux d'un fou. Il parlait de venir me chercher en Guinée, à la tête d'un escadron de Tonton Macoutes qui tueraient proprement Condé puisqu'ils avaient la grande habitude des crimes. Ensuite, il me ramènerait en Haïti.

Comme mon état de santé empirait, je finis par aller consulter un médecin polonais dans un dispensaire voisin. Il m'apprit que j'étais à nouveau enceinte.

Enceinte !

Je pleurai abondamment, car en ce moment, je ne désirais rien moins qu'un enfant. Il est évident que je n'attachais aucune importance à la promesse faite à la va-vite à Koffi N'Guessan de m'installer à Abidjan. Néanmoins, une fois de plus, je me sentais victime du sort. Cette nouvelle grossesse me liait inexorablement à Condé, à la Guinée.

Je n'avais plus d'issue.

« Nous préférons la pauvreté dans la liberté, à l'opulence dans l'esclavage »

Sékou Touré

Tout se passa très vite. Grâce à Sékou Kaba, que mon état et le tour que prenait ma vie comblaient de joie, je fus nommée professeur de français au collège de Filles de Bellevue. Le collège était sis dans un joli bâtiment colonial niché dans un fouillis de verdure à la périphérie de Conakry. Il était dirigé par une charmante Martiniquaise, Mme Batchily, car en Guinée comme en Côte-d'Ivoire, les Antillais se retrouvaient à tous les niveaux de l'enseignement. Cependant, ceux qui se pressaient en Guinée n'avaient rien de commun avec ceux qui travaillaient en Côte-d'Ivoire. Ils ne formaient pas une communauté bon enfant, surtout soucieuse de fabriquer du boudin et des acras. Hautement politisés, marxistes bien évidemment, ils avaient traversé l'océan pour aider de leur compétence le jeune État qui en avait grand besoin. Quand ils se réunissaient chez l'un ou chez l'autre, autour d'une tasse de quinquéliba (décidément ce thé possédait toutes les vertus !) ils discutaient de la pensée de Gramsci ou de celle de Marx et Hegel. Je ne sais pourquoi je me rendis à une de ces assemblées. Elle se tenait dans la villa d'un Guadeloupéen nommé Mac Farlane, professeur de philosophie, marié à une fort jolie Française.

« Il paraît que vous êtes une Boucolon ! me glissa-t-il courtoisement à ma vive surprise. J'ai grandi à deux pas de chez vous, rue Dugommier. J'ai bien connu Auguste. »

Auguste était mon frère, mon aîné de vingt-cinq ans, avec lequel je n'avais jamais eu grand contact. Il était l'orgueil de la famille, car il était le premier agrégé ès lettres de la Guadeloupe. Malheureusement, il ne professa jamais aucune ambition politique et vécut toute sa vie à Asnières dans le total anonymat d'un pavillon de banlieue. On comprend si le rapprochement avec lui me terrifia ! Il me semblait que quoi que je fasse, j'étais percée à jour. Si je n'y prenais garde, les « Grands Nègres » risquaient de me rattraper.

« Votre mari est à Paris ? » poursuivit-il.

Je bredouillai qu'il y terminait ses études.

« De quoi ?

— Il veut être comédien et suit les cours du Conservatoire de la rue Blanche. »

À l'expression de son visage, je sus le peu de cas qu'il faisait de ce genre de vocation. D'ailleurs, il s'éloigna et nous infligea pendant une heure sa lecture de je ne sais plus quel essai politique de je ne sais plus qui.

Désormais, j'évitai soigneusement ces cercles de cuistres de gauche et décidai de vivre sans lien avec ma communauté d'origine. Je ne tins pas entièrement parole et fis une exception. Des deux sœurs de Mme Batchily qui lui avaient emboîté le pas en Guinée, l'une d'entre elles, Yolande, belle et distinguée, était agrégée d'histoire et enseignait au lycée de Donka. Elle était aussi la présidente de l'association des professeurs d'histoire de Guinée. Malgré tous ses titres, nous devînmes très proches. Comme plusieurs autres compatriotes, nous étions logées à la résidence Boulbinet, deux tours de dix étages, anachroniquement modernes, qui s'élevaient, inattendues, face à la mer, dans un modeste quartier de pêcheurs. L'ascenseur ne fonctionnant pas, Yolande s'arrêtait chez moi au premier étage avant de commencer l'escalade jusqu'au dixième où elle habitait. Elle vivait avec Louis, authentique prince béninois, descendant direct du roi Gbéhanzin, grand résistant à la colonisation française. Il fut exilé à Fort-de-France en Martinique avant de mourir à Blida en Algérie. Louis possédait un véritable musée d'objets ayant appartenu à son ailleul : pipe, tabatière, ciseaux à ongles. Il possédait surtout d'innombrables photos du vieux souverain. Ce visage à la fois intelligent et déterminé me faisait rêver. À ma surprise il s'imposa à moi des années plus tard et me conduisit à écrire mon roman *Les Derniers Rois mages*. J'imaginai son exil à la Martinique, les railleries des gens : « Un roi africain ? Ka sa yé sa ? »

J'imaginai surtout sa terreur devant la violence de nos orages et le déchaînement de nos cyclones auxquels il n'était pas habitué. Je lui donnai une descendance antillaise en la personne de Spero et je me plus à lui prêter un journal.

Louis Gbéhanzin était un homme extrêmement intelligent, professeur d'histoire, lui aussi, au lycée de Donka. Il avait l'oreille de Sékou Touré et était le grand artisan de la réforme de l'enseignement, œuvre colossale qui, en fin de compte, ne fut jamais menée à terme. Bien que l'idée ne m'effleurât jamais de m'ouvrir à Yolande, j'éprouvais pour elle une profonde admiration et une réelle amitié. Son franc-parler me faisait du bien. Car elle me tançait souvent vertement :

« Comment pouvez-vous mener une vie pareillement végétative alors que vous êtes si intelligente ? »

Étais-je encore intelligente ?

Personne ne pouvait deviner combien j'étais malheureuse, au point souvent de souhaiter la mort. Yolande et Louis, par exemple, attribuaient ma morosité et ma passivité à l'absence de mon mari. En effet, Condé était retourné à Paris pour sa dernière année au Conservatoire de la rue Blanche. Il avait accueilli avec fatalisme l'annonce de ma grossesse.

« Cette fois, ce sera un garçon ! avait-il assuré comme si cela rendait la pilule moins amère. Et nous l'appellerons Alexandre.

— Alexandre ! m'étonnais-je en me rappelant les foudres qu'avait causées mon choix du prénom occidental de Sylvie-Anne ! Mais, ce n'est pas Malenke.

— Qu'importe ! rétorqua-t-il. C'est un prénom de conquérant et mon fils sera un conquérant. »

Nous ne devions pas avoir de fils ensemble alors qu'il en eut deux ou trois d'une seconde épouse.

Quand Eddy m'écrivit que Condé avait pour maîtresse une comédienne martiniquaise, je dois avouer que cela me laissa totalement indifférente, car je ne pensais qu'à Jacques, me désespérant encore et encore de l'absurdité de ma conduite. Pourquoi l'avais-je quitté ? Je ne me comprenais plus.

La veille de la rentrée au collège de Bellevue, Mme Batchily réunit les enseignants dans la salle des professeurs. C'étaient tous des « expatriés ». On comptait un fort contingent de Français communistes, des réfugiés politiques de l'Afrique subsaharienne ou du Maghreb et deux Malgaches. Devant un gobelet d'ersatz de café, tout en grignotant des gâteaux ultrasecs, elle nous expliqua que nos élèves appartenaient à des familles où les filles n'avaient jamais reçu d'instruction secondaire. Parfois, leurs mères avaient suivi une ou deux années d'école primaire et savaient tout au plus signer leur nom. Elles se sentaient par conséquent mal à l'aise sur les bancs d'un collège et auraient préféré se trouver à la cuisine ou sur le marché à vendre de la pacotille. Il fallait donc redoubler de soin, d'attention pour les intéresser à notre enseignement.

Vu l'état d'esprit dans lequel je me trouvais, ces propos n'eurent aucun effet sur moi. Alors que je devais, dans les années qui suivirent, porter tant d'attention aux jeunes, je ne m'intéressai pas du tout à mes élèves que je jugeais amorphes et sottes. Mes cours devinrent vite une ennuyeuse corvée. Mon enseignement se réduisait à des exercices d'élocution, d'orthographe et de grammaire. Au mieux, j'expliquais quelques extraits d'ouvrages choisis par de mystérieux « Comités de l'Éducation et de la Culture » qui dans le cadre de la réforme décidaient de tout. En français, leur sélection était basée non sur la valeur littéraire des textes, mais sur leur contenu sociologique. C'est ainsi qu'à ma surprise, *La prière d'un petit enfant nègre* du poète guadeloupéen Guy Tirolien figurait dans tous les manuels « révisés ». Quand je n'étais pas au collège, je ne lisais pas, les signes dansant sur la page devant mes yeux. Je n'écoutais pas la radio, ne supportant plus les sempiternelles vociférations des griots. Tout doucement, je prenais le pays en grippe. J'attendais les rêves de la nuit qui me ramèneraient vers Jacques.

Seuls Denis et Sylvie me tenaient en vie. C'étaient des enfants adorables. Ils couvraient de baisers mon visage, toujours triste, tellement fermé (c'est de cette époque que j'ai désappris le sourire) et que leurs caresses assombrissaient encore.

De la terrasse de mon appartement de Boulbinet, j'assistais chaque jour à un spectacle étonnant. À 17 h 30, le président Sékou Touré, tête nue, beau comme un astre dans ses grands boubous blancs, passait sur le front de mer, conduisant lui-même sa Mercedes 280 SL décapotée. Il était acclamé par les pêcheurs, abandonnant leurs filets sur le sable pour se bousculer au bord de la route. Apparemment, j'étais la seule à trouver navrant le contraste entre cet homme tout-puissant et les pauvres hères faméliques et haillonneux, ses sujets, qui l'applaudissaient.

« Quel bel exemple de démocratie ! » me répétaient à l'envi Yolande et Louis.

« Il n'a pas de gardes du corps ! » surenchérissait Sékou Kaba.

On le sait, la Guinée était le seul pays d'Afrique francophone à se vanter de sa révolution socialiste. Les nantis ne roulaient plus dans des voitures françaises, mais en Skoda ou en Volga. Les chanceux qui partaient en vacances à l'étranger s'envolaient dans des Iliouchine 18 ou des Tupolev. Dans chaque quartier s'élevait un magasin d'État où l'on devait obligatoirement faire ses achats, puisque le commerce privé avait été aboli. Ces magasins d'État étaient toujours insuffisamment ravitaillés. Aussi, le troc était-il la seule arme dont nous disposions pour lutter contre les rationnements et les incessantes pénuries. Les précieuses denrées alimentaires s'échangeaient *sous le manteau* parce que la pratique du troc était interdite soi-disant pour décourager le marché noir. Il y avait partout des inspecteurs, des contrôleurs que tout le monde redoutait. J'appris à éviter le lait concentré tchèque qui donnait des diarrhées mortelles aux enfants (l'une d'entre elles avait failli emporter Sylvie) ; à me méfier du sucre russe qui ne fondait pas, même dans des liquides bouillants. Le fromage, la farine et les matières grasses étaient pratiquement introuvables. J'ai souvent raconté comment m'est venu le titre de mon premier roman, largement inspiré par ma vie en Guinée. *Heremakhonon*, expression malinké qui signifie « Attends le bonheur ». C'était le nom du magasin d'État situé dans le quartier de Boulbinet. Il était toujours vide. Toutes les réponses des vendeuses commençaient par « demain », comme un espoir jamais réalisé.

« Demain, il y aura l'huile ! »
« Demain, il y aura la tomate ! »
« Demain, il y aura la sardine ! »
« Demain, il y aura le riz ! »

Le souvenir de deux évènements se dispute ma mémoire en ce début de l'année 1961, événements dissemblables qui prouvent que le cœur ne sait pas hiérarchiser. Il place au même niveau l'universel et le particulier. Le 4 janvier, Jiman que, grâce à Sékou Kaba, j'avais fait venir de la Côte-Ivoire, repartit chez lui après quelques mois en Guinée. Il ne supportait pas les pénuries qui affectaient son travail de cuisinier. « Un pays qui n'a pas l'huile ! » répétait-il, outré.

Sans doute n'avait-il pas suffisamment médité la

belle et célèbre phrase de Sékou Touré : « Nous préférons la pauvreté dans la liberté à l'opulence dans les fers. » En tout cas, peu m'importe qu'il soit sans nul doute un vil « contre-révolutionnaire » selon l'expression consacrée ! Sur les quais, au pied du paquebot qui le ramenait vers la sujétion dorée de son pays, je versai un flot de larmes en me retenant de le supplier de ne pas m'abandonner lui aussi.

Le 17 du même mois, Patrice Lumumba fut assassiné au Congo. À cette occasion, la Guinée décréta un deuil national de quatre jours. J'aimerais écrire que je fus bouleversée par cet évènement. Hélas non ! J'ai déjà dit le peu d'intérêt que j'avais porté aux premières convulsions du Congo ex-belge. Le nom de Lumumba ne signifiait pas grand-chose pour moi.

Je me rendis néanmoins à la place des Martyrs où avait lieu une cérémonie d'hommage au disparu. Je me glissai dans la foule compacte maintenue par des barrières et des hommes en armes à bonne distance de l'estrade où prenaient place les officiels. On aurait cru assister à un concours d'élégance. Les ministres, sous-ministres et dignitaires du régime étaient accompagnés de leurs épouses drapées dans des pagnes de prix. Certaines étaient coiffées de volumineux mouchoirs de tête. D'autres exhibaient des coiffures compliquées : tresses en rosace ou en triangle. Cette impression d'assister à un spectacle était renforcée par les applaudissements et les acclamations de la foule à chaque fois qu'un couple de notables descendait de sa voiture et se dirigeait vers l'estrade. Sous un dais d'apparat, Sékou Touré, vêtu de ses boubous blancs si seyants, fit un discours qui dura des heures. Il tira les leçons de la tragédie congolaise, répétant avec emphase les mots de Capitalisme et d'Oppression. Cependant je ne sais pourquoi, ces paroles sonnaient le creux. Je me demandais où était cette révolution guinéenne dont il parlait.

Je dus attendre la médiation de la littérature, la parution d'*Une saison au Congo* d'Aimé Césaire en 1965 pour m'émouvoir vraiment de ce drame et en comprendre la portée.

Je n'étais pas encore suffisamment « politisée » sans doute.

Les privations qui assombrissaient notre existence, je les aurais supportées si elles avaient affecté l'ensemble de la société dans un effort collectif de construire une nation libre. Cela aurait même pu être exaltant. Or ce n'était visiblement pas le cas. Chaque jour davantage, la société se divisait en deux groupes, séparés par une mer infranchissable de préjugés. Alors que nous bringuebalions dans des autobus bondés et prêts à rendre l'âme, de rutilantes Mercedes à fanions nous dépassaient transportant des femmes harnachées, couvertes de bijoux, des hommes fumant avec ostentation des havanes bagués à leurs initiales. Alors que nous faisions la queue dans nos magasins d'État pour nous procurer quelques kilos de riz, dans des boutiques où tout se payait en devises, des privilégiés s'offraient du caviar, du foie gras, et des vins fins.

Un jour, Sékou Kaba parvint fièrement à obtenir une invitation à un concert privé à la Présidence. C'était la première fois que j'allais me mêler au monde des privilégiés. J'empruntai à Gnalengbè un boubou afin de cacher mon ventre et suspendis autour de mon cou mon collier grenn dô. Ainsi fagotée, j'allai écouter « l'Ensemble de Musique Traditionnelle de la République ». En vedette, se produisait Kouyate Sory Kandia. Kouyate Sory Kandia était surnommé « L'Étoile du Mandé » et méritait pleinement cette hyperbole. Aucune voix ne pouvait se comparer à la sienne. Il était entouré d'autres griots et de plus d'une trentaine de musiciens qui jouaient de la kora, du balafon, de la guitare africaine, du tambour d'aisselle. Je n'avais jamais assisté à pareil spectacle. C'était éblouissant, inoubliable, incomparable. À l'entracte, les spectateurs refluèrent vers le bar. Je fus profondément choquée de voir ces musulmans en grands boubous se gorger de champagne rosé et fumer avec ostentation des havanes. Timidement, Sékou Kaba me conduisit vers un groupe et me présenta au président, à son frère Ismaël, éminence grise du régime qu'entouraient quelques ministres. Ces derniers ne m'accordèrent aucune attention. Seul, le président feignit de s'intéresser à moi. Sékou Touré était encore plus beau de près que de loin avec ses yeux obliques et ce sourire charmeur des hommes à femmes. Quand Sékou Kaba eut fait les présentations, il murmura :

« Ainsi, vous venez de la Guadeloupe ! Vous êtes donc une petite sœur que l'Afrique avait perdue et qu'elle retrouve. »

J'ai rapporté cette conversation dans *Heremakhonon* quand le dictateur Malimwana entre dans la classe de Veronica et s'entretient avec elle. Mais je ne possédais pas l'aplomb de cette dernière qui osa remplacer le mot « perdue » par le mot « vendue » et je me bornai à grimacer un sourire complaisant. Sékou Touré s'écarta de nous et continua sa route vers d'autres invités. L'adulation dont on l'entourait était palpable. On lui baisait les mains. Certains ployaient le genou devant lui et il les aidait à se relever avec affabilité. On entendait en arrière-plan les récitations des griots qui s'enflaient par instants comme un chœur d'opéra. Une sonnerie annonça la fin de l'entracte et nous reprîmes place dans la salle de concert.

« Tu enfanteras dans la douleur »

La Sainte Bible – La Genèse

Je traînais au collège un ventre énorme et j'effrayais mes élèves ainsi qu'Oumou Awa, retrouvée en 1992 enseignante au Centre d'Études Africaines de l'université Cornell aux États-Unis, me l'avoua :

« Dès l'abord, vous nous intimidiez. Vous ne vous intéressiez pas à nous. Nous avons pris votre grossesse comme un phénomène terrifiant et mystérieux. »

Prosaïquement, je pouvais à peine marcher et arrivais difficilement à me chausser tant j'avais les jambes douloureuses et les pieds enflés. Les congés de maternité ayant été supprimés dans la socialiste Guinée, les femmes travaillaient jusqu'à la limite de leur terme, puis bénéficiaient d'un généreux mois de repos pour allaitement. Au mois de mai 1961, je lâchai un paquet d'eau sale sur le plancher de ma salle de classe. Affolée, Mme Batchily me conduisit elle-même à l'hôpital de Donka dans sa Skoda.

« Votre mari n'est pas là ! fit-elle avec émotion. Qui voulez-vous que je prévienne ? »

Je murmurai les noms de Sékou Kaba et de Gnalengbè. Je n'en menais pas large. Si mon accouchement à Abidjan était passé comme lettre à la poste, je redoutais celui-là. Le seul nom de l'hôpital de Donka terrifiait. Depuis le départ des médecins français en 1958, des médecins venus de l'Europe de l'Est, russes, tchèques, polonais ou allemands les avaient remplacés qui communiquaient avec leurs patients par le truchement d'interprètes. L'hôpital manquait de tout. La charpie tenait lieu de coton, l'alcool et l'éther étaient mesurés. Il n'y avait pratiquement pas d'analgésiques. Les enfants y mouraient de rougeole, de malaria et de coqueluche. Les adultes, de diarrhées et de toutes sortes d'infections qu'on n'avait pas encore baptisées nosocomiales. Une odeur nauséabonde flottait sur l'ensemble des bâtiments délabrés datant du temps colonial. Le souvenir de ce que j'y ai enduré reste gravé dans ma mémoire et me réveille encore la nuit.

À mon arrivée au pavillon « Maternité », un médecin tchèque à la blouse douteuse, encadré de deux infirmières russes, carrément crasseuses, m'examina sans douceur. Puis une des infirmières me fit signe de la suivre jusqu'à une pièce où se trouvaient déjà allongées sur de sordides banquettes une douzaine de parturientes se contorsionnant dans toutes les postures de la douleur. Je me trouvai une place et en fis de même. Pourtant, je fus bientôt la seule à allier contorsions et hurlements. Personne autour de moi ne se plaignait. Mes hurlements, féroces et rythmés, s'élevaient dans un silence général.

« Petite sœur, tu n'as pas la honte ! » parvint à me souffler une voisine, le visage couvert de sueur.

Non, je n'avais pas honte. Car je hurlais aussi ma solitude et mon désespoir de me trouver là où j'étais. Au bout de longues heures d'inexprimables souffrances, le médecin tchèque réapparut accompagné cette fois d'un interprète. Il m'examina à nouveau avant de jeter quelques mots à l'interprète. Celui-ci en mauvais français m'ordonna de me rendre en salle d'accouchement n° 5.

« Où est cette salle d'accouchement n° 5 ? bégayai-je.

— Tu prends le couloir, bredouilla-t-il. Tu tournes à gauche. 5e porte. C'est marqué. »

Je parvins à me traîner jusque-là, poussai la porte et faillis reculer. Imaginez une vaste salle puante et violemment éclairée, pleine de femmes demi-nues, se tordant – toujours en silence – sur leurs couches. Celles-ci perdaient leur sang, celles-là déféquaient, d'autres vomissaient au milieu des aboiements féroces de sages-femmes noires ou blanches qui leur arrachaient leurs nouveau-nés d'entre les cuisses et coupaient sauvagement les cordons ombilicaux. Les femmes, qui étaient délivrées, prenaient leurs bébés dans leurs bras et gagnaient en trébuchant la sortie. De faiblesse, certaines tombaient à terre où elles demeuraient quelques instants, prostrées.

Le miracle est que la nature, si elle le veut, réussit son œuvre en toutes circonstances. Peu après minuit, le 17 mai 1961, je mis au monde non pas Alexandre, mais une seconde petite fille, belle, chevelue, et vorace. Gnalengbè, qui m'attendait derrière une porte, me prit dans ses bras et me guida dans une sorte de salle de bains, carrelée, encombrée de brocs, de bassines de plastique et de divers ustensiles de toilette. Là, avec un bouchon de paille, elle me frotta, enlevant le sang et les matières dont j'étais maculée. Ensuite, elle baigna la nouvelle-née dans un seau d'eau. Nous quittâmes l'hôpital, moi, marchant comme je pouvais. D'épuisement, je m'endormis dans la voiture sur le chemin du retour.

Je me suis souvenue de cet accouchement dans *Une saison à Rihata*. Mais, vu le caractère bestial, voire dégradant, des souffrances que j'avais endurées, ma plume refusa de m'obéir et ne donna de l'évènement qu'une version édulcorée. En outre, mon héroïne Marie-Hélène accoucha d'un fils, ce qui signifiait symboliquement qu'elle effectuait un nouveau départ dans l'existence. Pour moi, rien ne fut changé. Je continuai de vivre dans un appartement sommairement meublé. Yolande continua de venir y reprendre son souffle chaque jour. À la fin de l'après-midi, je continuai d'admirer Sékou Touré passant au volant de sa Mercedes 280 SL tandis que les pêcheurs de Boulbinet faisaient le même ramdam.

Je m'aperçus très vite que cette nouvelle-née, que je n'avais pas désirée, c'est vrai, mais que je me mis à aimer avec autant d'emportement que son aînée, Sylvie-Anne, ne m'appartenait pas entièrement. Celle qui devait devenir la moins Africaine de mes filles commença sa vie comme un parfait bébé malinké. Sékou Kaba, en contact constant avec Condé, décida sans me demander mon avis qu'elle porterait le prénom de sa grand-mère paternelle : « Moussokoro ». Il fallut mes supplications et mes pleurs pour qu'il consente à y ajouter Aïcha. Il fixa la date du baptême musulman qui eut lieu chez lui, dans la villa où il venait d'emménager. Au jour dit, deux moutons à pelage blanc furent sacrifiés. Puis, un imam rasa la tête du bébé avant de le présenter à la communauté des parents. Sékou Kaba m'adjoignit comme nourrice Awa, une de ses jeunes parentes venue tout exprès de Kankan. Elle ne parlait que le malinké et portait constamment le nourrisson au dos. Au bout de quelques semaines de ce régime, Aïcha me regardait avec une profonde indifférence. Elle ne s'intéressait à moi qu'aux moments où je lui tendais mon sein. Mais Awa lui fit manger très vite une bouillie au mil, jugée plus nourrissante.

« Conversion de Saül »

La Sainte Bible-Actes des Apôtres

Alors que j'avais atteint le fond de la déprime, je recouvrai miraculeusement la santé. Un matin, je m'éveillai et me rappelai que je n'avais pas beaucoup plus de vingt ans, vingt-six très exactement. Je vis que le soleil brillait, que le ciel et la mer étaient bleus, que les amandiers bordant la plage de Boulbinet étaient verts et rouges. Si je ne cessai pas de penser à Jacques, ce fut comme je pensais à ma mère, de façon constante, mais sans amertume, ni regrets déchirants de l'avoir perdu. Ma guérison coïncidant avec le début de mes relations avec de nouvelles connaissances, je ne sais pas si celles-ci n'en furent pas la cause. Olga Valentin et Anne Arundel étaient infirmières au centre de PMI où je faisais suivre mes enfants. Olga était comme moi guadeloupéenne. Mais étant originaire de Saint-Claude, à l'autre extrémité de l'île, nous ne nous étions jamais fréquentées. Elle était mon parfait contraire : volontaire, énergique, pas rêveuse pour deux sous, simple, directe, avec une capacité de se mettre au niveau de tous. Olga était mariée à Seyni, un Sénégalais, dont le parti d'extrême gauche et le journal satirique avaient été interdits. Il avait dû s'enfuir pour éviter un emprisonnement certain. Accueilli à bras ouverts par Sékou Touré, son statut de réfugié politique lui donnait droit à une immense villa avec piscine, malheureusement à moitié vide et à une Skoda bleu ciel. S'il parvenait le jour à se débarrasser de ses gardes du corps, il ne pouvait empêcher que dès six heures du soir, une douzaine de miliciens armés ne s'installent devant sa porte pour veiller sur sa sécurité. Olga et Seyni étaient dotés d'un humour dévastateur et se moquaient de tout : des pénuries, des élucubrations de Sékou Touré qui à présent se voulait poète, des bévues de l'aristocratie que prétendaient incarner ses ministres, individus grossiers et corrompus. Leur tête de Turc favorite était mon ami, Louis Gbéhanzin, qui travaillait comme Seyni à la réforme de l'enseignement.

« C'est un "féodal" ! me rappelaient-ils. Ses ancêtres ont fait le lit des colonisateurs. Ce sont eux qui ont mené nos peuples là où ils en sont aujourd'hui. »

Olga et Seyni désacralisèrent la vie politique et m'apprirent à la considérer comme une perpétuelle source de dérision. Anne Arundel, quant à elle, était française. Mère de deux petites filles métisses nées d'une première union avec un Malien, elle était la compagne de Néné Khaly. Ce professeur de lettres, détaché lui aussi à la réforme de l'enseignement, fut l'un des premiers à disparaître dans le secret des geôles du régime. C'était un excellent poète qui aimait nous faire écouter ses créations le soir. Malheureusement, il ne publia jamais rien. Sékou Touré ne lui en laissa pas le temps. Avec Anne et Néné Khaly, la contestation n'était pas ludique. Elle était violente et passionnée.

« Nos PMI sont vides ! rageait Anne. Nous ne pouvons rien pour les enfants qui meurent comme des mouches dans le désespoir des mères. Ceux de l'entourage du président, quand ils ont le plus petit bobo, courent se faire soigner à Moscou. »

Les meilleurs amis du couple étaient deux personnalités politiques de premier plan : Mario de Andrade, un des leaders du MPLA (Mouvement pour la Libération de l'Angola), compagnon d'Agostinho Neto qui fut le premier président après l'indépendance et son inséparable compagnon, Hamilcar Cabral, fondateur avec son frère Luis du PAIGC (Parti pour l'Indépendance de la Guinée-Bissau et des îles du Cap-Vert). À chacun de leurs séjours à Conakry, malgré des emplois du temps chargés de réunions avec Sékou Touré et ses ministres, avec les membres du PDG et les ambassadeurs de certains pays, ils trouvaient le temps de venir partager un repas nécessairement frugal, vu la sévérité des pénuries. Ces réunions débordaient de gaieté, Hamilcar Cabral étant un bon vivant, toujours une plaisanterie à la bouche. Cependant, mes nouveaux amis profitaient de ces moments de détente pour me prodiguer des conseils destinés à me permettre de me sentir plus à l'aise dans la société guinéenne : apprendre à parler les langues nationales, remplacer mon afro par des tresses, éviter les pantalons et porter de préférence des pagnes. Je protestais vivement à l'énoncé de pareilles recommandations.

« C'est absurde !

— On ne te demande pas de te déguiser en Africaine ! plaisantait Hamilcar. On te demande d'essayer de t'intégrer, au moins en apparence. Regarde Olga ! »

La femme de Seyni était un modèle insurpassable. Elle parlait couramment le malinké, le soussou et le peul ! Elle ne s'habillait qu'en boubou et se faisait appeler Salamata. Moi, je commençais à détester ce mot « intégrer ». Toute mon enfance, j'avais été intégrée sans l'avoir choisi, par la seule volonté de mes parents, aux valeurs françaises, aux valeurs occidentales. Il avait fallu ma découverte d'Aimé Césaire et de la Négritude pour au moins connaître mon origine et prendre certaines distances avec mon héritage colonial. À présent, que voulait-on de moi ? Que j'adopte entièrement la culture de l'Afrique ? Ne pouvait-on m'accepter comme j'étais, avec mes bizarreries, mes cicatrices et mes tatouages ? D'ailleurs, s'intégrer se résumait-il à modifier superficiellement son apparence ? Baragouiner des langues ? Dessiner des rosaces dans ses cheveux ? La véritable intégration n'implique-t-elle pas avant tout une adhésion de l'être, une modification spirituelle ? Personne ne se souciait de l'état de mon esprit et surtout de mon cœur. Mon cœur, tellement compatissant aux souffrances du peuple qui m'entourait. Plus important cependant, mes nouveaux amis me « politisèrent ». Patiemment, ils tentèrent de me faire partager leur vision de la structure du monde. Selon eux, à travers l'univers, se jouait une lutte impitoyable entre ceux qui, poussés par la volonté de puissance, voulaient tout posséder et les autres. Si je devins marxiste, c'est à leur contact, plus que par cheminement personnel. Auraient-ils été les défenseurs du capitalisme que peut-être les aurais-je imités. Il est vrai qu'une sorte de sentimentalisme, je dirai même de sensiblerie, me prédisposait à m'apitoyer sur « l'oppression des peuples », à haïr la cruauté des puissants. Tardivement, je reprochai à mes parents leur égoïsme, leur indifférence vis-à-vis des démunis de leur société et je me jurai d'agir autrement. Mes nouveaux mentors ne se souciaient pas seulement de fustiger les méfaits de la colonisation. Ils soulignaient les tares de l'ère pré-coloniale.

« Ah non ! Ce n'était pas un Âge d'Or comme les exaltés le clament ! répétait Hamilcar. Nous connaissions entre autres l'esclavage domestique, le système des castes, l'oppression des femmes sans parler de mille pratiques barbares comme l'excision, le meurtre des jumeaux, des albinos. »

Ils me mirent entre les mains des ouvrages souvent ardus d'historiens, d'anthropologues, de politologues que, crayon en main, j'étudiais sérieusement. C'est alors que j'appris à connaître entre autres Marcel Griaule dont *Le Renard pâle* m'enchanta, Germaine Dieterlen, Denise Paulme, Louis-Vincent Thomas, Georges Balandier. Comme à Conakry on ne pouvait guère se procurer que la collection des discours de Sékou Touré ou des hauts faits du PDG, il nous fallait commander les livres à Dakar, à la petite librairie Sankoré. Le patron, ami de Néné Khaly, était fort arrangeant, car le franc guinéen n'étant pas convertible, cela rendait les transactions malaisées. Je garde un tendre souvenir des moments où, isolé dans un angle de la galerie de la modeste villa d'Anne et Néné Khaly, je faisais à Hamilcar le compte rendu de mes lectures. Car Hamilcar et moi, nous entretînmes une amitié qui aurait pu aisément changer de nature. Physiquement, il me rappelait énormément Jacques qui n'était jamais loin de mon souvenir. Mais, il était beaucoup plus gai et bavard. Si nous n'avons jamais cédé à l'attirance que nous éprouvions l'un pour l'autre, c'est qu'il était marié, père de famille, je crois, et entendait mener sa vie privée de façon irréprochable comme doit l'être celle d'un leader politique.

« Si l'on prétend diriger un peuple, aimait-il à répéter, on doit prêcher d'exemple. »

De mon côté, j'avais tellement souffert que, peureuse, je craignais de libérer mon cœur et réfrénais mes sentiments.

Nous allions souvent passer la soirée « Au Jardin de Guinée », une boîte de nuit du quartier de Camayenne au bord de la mer. « Les Amazones », médiocre orchestre de femmes qui avait la faveur de Sékou Touré s'y produisait. Les gens nous dévisageaient, la présence de ces révolutionnaires notoires qui prenaient du bon temps, pareils au commun des mortels, faisant sensation. Mario et Hamilcar signaient des autographes. Parfois, quelqu'un se trompait et me sollicitait. La méprise m'amusait prodigieusement, car j'étais loin de penser qu'un jour, j'en ferais autant. Comme Jacques, Hamilcar adorait danser. En le regardant évoluer sur la piste, mes yeux se remplissaient de larmes.

Quand la nouvelle de son assassinat par la police secrète portugaise me parvint en 1973, peu avant l'indépendance de son pays à laquelle il avait tant œuvré, je fus écrasée de chagrin. Tout mon passé revint me hanter. Je me reprochai ma pusillanimité. Que n'avais-je été plus hardie ! Un peu de plaisir sexuel n'aurait pas fait de mal dans ma vie aussi chaste que celle d'une religieuse.

Ah non ! Ces années à Conakry n'étaient pas bien plaisantes ! Elles devenaient même de plus en plus difficiles. Les pénuries s'aggravant, le Butagaz avait disparu. Les plus fortunés cuisinaient sur du charbon qu'ils achetaient à prix d'or dans les magasins d'État. Les plus pauvres se contentaient du bois qui, n'étant jamais assez sec, fumait et empestait. Il ne s'agissait plus simplement de pouffer de rire quand Sékou

Touré récitait interminablement ses mauvais poèmes à la radio et de pester parce que les « comités de culture et d'éducation » nous obligeaient à les enseigner à nos élèves. Des choses plus graves commençaient de se passer. Du jour au lendemain, des maisons étaient vidées de leurs occupants. À Camayenne, un camp s'était ouvert où, chuchotait-on, on torturait ceux qui avaient l'audace de critiquer Sékou Touré et les décisions du PDG. Des rumeurs circulaient selon lesquelles des émeutes avaient éclaté et avaient été réprimées dans le sang.

Les Peuls étaient soumis à une répression féroce. Je n'ai jamais clairement compris ce que Sékou Touré leur reprochait. D'être trop attachés à leurs chefferies traditionnelles dont il s'efforçait de saper le pouvoir ? En tout cas, il ne faisait pas bon s'appeler Bâ, Sow ou Diallo.

À ce moment, Condé revint de Paris, ayant terminé ses trois ans au Conservatoire et sa présence me rassura quelque peu. Grâce à Sékou Kaba, il fut bombardé directeur du Théâtre National, titre ronflant qui ne recouvrait aucune autorité. Condé disposait tout juste d'un bureau au ministère de la Culture. Son salaire était encore plus insignifiant que le mien. Chargé de prospecter l'intérieur du pays en vue d'organiser chaque année une Quinzaine du Théâtre, le gouvernement ne lui accordait aucun budget. Comment pouvait-il se déplacer, payer son hébergement, se nourrir ? À sa manière, il était une victime, victime de ce régime corrompu, égoïste et indifférent au bien-être de son peuple. J'aurais aimé qu'il proteste contre sa situation. Malheureusement, il était pusillanime et n'osait rien réclamer. Il prétendit m'interdire de fréquenter mes nouveaux amis.

« Mario de Andrade ? Hamilcar Cabral ? Seyni Gueye ? Ils sont connus. Ce sont des politiques. Toi, tu ne connais rien à tout cela ! » répétait-il.

Évidemment je refusai net de l'écouter et nous en vînmes à mener des vies parallèles. N'ayant pratiquement rien à faire à son bureau, il dormait jusqu'à midi. Le soir, il disparaissait et réapparaissait au petit matin, généralement ivre. Je dois reconnaître qu'il trouvait le temps d'aller à la chasse au charbon, aux poulets et au lait caillé. Même un jour, il ramena des pommes de terre et ô miracle, des carottes ! Je ne pouvais m'empêcher d'éprouver à son endroit un profond sentiment de culpabilité. Épouse menteuse, épouse infidèle, épouse adultère, je ne lui rendais pas l'existence facile. Il était évident que, moi aussi, je le détruisais.

C'est à cette époque que se situe ma seconde rencontre en terre africaine avec Guy Tirolien. Il avait quitté la Côte-d'Ivoire quelques mois après moi et était maintenant commissaire à l'Information au Niger. Il vint à Conakry, car il était chargé de je ne sais quelle mission gouvernementale auprès de Sékou Touré. Fastueusement logé à la Présidence, dès que ses innombrables réunions lui en laissaient le temps, il se faisait conduire à Boulbinet. Nous parlions de tout, de notre petite Guadeloupe, du général de Gaulle, selon lui un grand décolonisateur, de l'Afrique, surtout de l'Afrique. Sa culture était immense et je ne saurais citer les ouvrages qu'il me fit lire. Cependant, je m'aperçus très vite que sur certains sujets, nos opinions divergeaient. Comme Sékou Kaba, il était un fervent admirateur de Sékou Touré et le considérait comme un des plus dignes fils de l'Afrique. Quand je lui rappelais les pénuries, il haussait les épaules :

« Je sais ! Vous manquez de sucre et d'huile. Quelle importance ? Sékou Touré est comparable à Churchill qui promettait aux Anglais pendant la Seconde Guerre mondiale "du sang, de la sueur et des larmes". Une révolution ne se fait pas sans souffrances, parfois inouïes pour le peuple. »

Je lui parlai de ce qui avait changé mon existence, mes relations avec le groupe qui s'était constitué autour de Mario et d'Hamilcar. Mais sa réaction fut étrangement réservée :

« Andrade ? Cabral ? Fais attention ! me dit-il. Ce sont des politiciens.

— Et toi ? N'es-tu pas aussi un politicien ? m'exclamai-je.

— Moi ? Je suis un poète égaré en politique ! rit-il. Comme Aimé Césaire. C'est là toute la différence. Ces gens-là ont des calculs, des ruses, des cruautés. Ils risquent de te faire beaucoup de mal ! »

Stupéfiée, je croyais entendre Condé avec lequel, à ma surprise, il sympathisa vivement. Il partageait sa passion pour la musique moderne guinéenne, en particulier celle du « Bembeya Jazz Club » et le soir, l'accompagnait en boîte.

Quand il repartit au bout d'une dizaine de jours, je ressentis un vide immense. Je retrouvai Guy Tirolien des années plus tard quand tous les deux, nous revînmes vivre au pays. Il avait payé un lourd tribut à la maladie et avait été amputé d'une jambe. Il ne quittait plus sa belle maison de Marie-Galante, son île natale, où je lui rendais fréquemment visite.

L'appartement de Boulbinet devenant trop étroit pour deux adultes et trois enfants, grâce à Sékou Kaba, nous obtînmes une villa dans le faubourg de Camayenne. Le fait est exceptionnel et mérite d'être souligné. Soi-disant pour lutter contre les abus, dans ce domaine également, tout était étatisé. Les propriétaires n'avaient plus le droit de louer leurs logements. Ils devaient en remettre les clés à un Service Central « Habitat pour tous ». Comme pour les trop rares « Résidences d'État », ce Service percevait les loyers et se chargeait de l'entretien des lieux. Le résultat de ce système, somme toute simple, était un parfait chaos. Non seulement pour obtenir un logement, si on ne comptait pas parmi leurs parents ou amis, il fallait abondamment graisser la patte des fonctionnaires de « Habitat pour tous », mais ces derniers faisaient main basse sur l'argent des loyers et n'effectuaient aucune réparation. Des centaines de familles, quand elles ne pouvaient s'entasser chez des parents moins mal lotis, vivaient dans des pièces insalubres. Certains étaient forcés d'aller se loger dans les villages environnants.

La villa qui nous fut attribuée était des plus modestes. Trois chambres à coucher minuscules, une salle d'eau microscopique, la cuisine dans le jardin. Mais le faubourg de Camayenne était planté de beaux arbres, manguiers, poiriers, amandiers, arbres à pain dont à ma surprise, personne ne cueillait les fruits. Pourtant, je déménageai sans plaisir, car je perdais les visites quotidiennes de Yolande et la proximité de mes amis qui habitaient tous en ville, en bordure de mer. Parfois, Hamilcar m'envoyait chercher pour me conduire chez Anne et Néné par une Mercedes du protocole. Mais cela excitait la fureur de Condé qui injuriait le malheureux chauffeur :

« Ma femme n'est pas une call-girl ! » hurlait-il.

Peu après notre arrivée à Camayenne, je fus témoin d'une scène qui s'est gravée à tout jamais dans mon esprit. Elle symbolise, à mes yeux, les souffrances du peuple guinéen. Un long cortège sortait de l'hôpital de Donka qui s'élevait non loin. Des files d'hommes en boubous portaient à hauteur d'épaules de petits paquets enveloppés de blanc dans lesquels je reconnus des corps. Des corps d'enfants. Une épidémie de rougeole, maladie mortelle pour les malnutris, s'était déclarée et les petits étaient emportés par dizaines.

« La visite de la vieille dame »

Friedrich Dürrenmatt

Denis, qui était entré à l'école communale, s'y faisait régulièrement rosser. Chaque jour, il rentrait les vêtements déchirés et couverts de sang, le visage tuméfié. Il fallut que je le menace d'aller me plaindre au directeur pour qu'il consente à m'avouer la vérité. Sitôt hors de l'école, les garçons se jetaient sur lui et le frappaient en hurlant :

« Ta maman est une toubabesse. »

Entendez par là « une Blanche ». Ce qui me blessa, ce n'est pas simplement que l'épithète était entendue comme l'injure suprême. C'est que, niant ma qualité d'Antillaise, elle me renvoyait au modèle qu'avaient adopté autrefois mes parents. La couleur est-elle donc un vernis invisible ?

Les supplications de Denis m'empêchèrent de me rendre auprès de son directeur d'école pour me plaindre et il continua de se faire rosser quotidiennement.

En effet, plus que Conakry-ville, le faubourg de Camayenne fonctionnait comme un village africain. Mes amis avaient raison, j'y faisais tache. Je ne parlais ni le malinké, ni une autre langue du pays. Je ne portais toujours pas de pagnes ou de boubous. Je possédais une collection d'informes pantalons de coton qui excitaient l'hilarité ou la stupéfaction, c'est selon. Aux réunions de comité, quand on nous indiquait comment tenir notre quartier propre en désherbant les talus qu'envahissaient les herbes de Guinée, en balayant et brûlant les feuilles tombées des arbres et en faisant éventuellement du compost, l'assistance était tellement occupée à rire de moi qu'elle ne prêtait aucune attention aux propos des commissaires à l'investissement humain. Je n'ai guère eu à forcer mon imagination quand j'ai dépeint le personnage de Thécla dans mon roman *En attendant la montée des eaux* et les réactions qu'elle suscite dans la communauté de Tiguiri. Je n'avais pas comme elle les yeux bleus. À Camayenne, personne n'aurait peut-être songé à me brûler vive sur un bûcher, mais on ne me prenait pas pour une femme normale.

Ce fut ce moment que choisit Condé pour convier sa mère à séjourner quelque temps avec nous à Conakry. S'il l'avait souvent visitée à Siguiri où elle habitait, elle ne nous avait jamais rendu la pareille et ne connaissait pas les enfants. Il fallut lui trouver de la place dans notre logement lilliputien. Sylvie et Aïcha durent partager la chambre de Denis tandis que Condé emplissait la salle d'eau d'étranges ustensiles de toilette dont une volumineuse bassine en zinc.

Moussokoro Condé ne paraissait pas son âge. Elle était grande, un peu hommasse, bien découplée, avec, ce qui me remua, le regard et le sourire de son fils. Elle n'arrivait pas seule. Elle était accompagnée d'Abdoulaye, gamin aux yeux vifs et intelligents, que Condé avait eu bien avant de partir pour Paris et dont j'ignorais totalement l'existence. On aurait pu en conclure que Condé et moi, nous étions quittes : chacun introduisant dans l'union son bâtard tenu secret. En réalité, il n'en était rien. Abdoulaye, né alors que son père était un gamin ou presque, témoignait glorieusement de sa précocité et de sa virilité. Aussi, il était adulé par sa grand-mère, élevé dans la conviction qu'il était le seul véritable héritier. Sachant que sous tous les cieux les rapports entre belle-mère et belle-fille ne sont pas des plus aisés, j'étais sortie de moi-même et m'étais quelque peu préparée à cette visite. Par exemple, j'avais appris les formules de salut traditionnel :

« *Asalam aleykum !* As-tu la paix ? »

J'avais troqué mon sarouel déteint contre une jupe. Je m'étais affublée d'un mouchoir de tête que je nouais comme un foulard. Pourtant, il fut évident que mes efforts ne serviraient de rien. Dès sa descente de taxi, Moussokoro m'embrassa à peine et évita de me regarder dans les yeux. Comme elle ne parlait pas le français, nos échanges furent forcément limités. Les jours qui suivirent, elle m'ignora superbement, riant, bavardant en malenke avec la foule de parents qui venaient la saluer. Que me reprochait-elle ? De ne pas être musulmane ? De ne pas parler malinké ? Je sentais que cela allait bien plus profond. Ce n'était pas simplement la déportation et le Passage du Milieu qui nous avaient séparées l'une de l'autre, me dépossédant de ma langue et de mes traditions. Il s'agissait d'une différence d'ordre ontologique. Je n'appartenais pas à l'ethnie, à la sacro-sainte ethnie. Quoi que je fasse, je demeurerais un non-être, une exclue de l'espèce humaine.

Les parents qui venaient la saluer lui apportaient des plats richement préparés malgré ces temps de pénurie, des pagnes d'indigo, des flacons de parfum.

Elle tenait salon comme une reine, assise sur une natte étendue par terre, ses pieds calleux dénudés. Quand je le pouvais, j'assistais à ces interminables entretiens, car je craignais de m'attirer les foudres de Condé que la présence de sa mère rendait susceptible et nerveux. Non seulement, il s'efforçait de satisfaire ses moindres désirs, courant par exemple au marché pour lui acheter des noix de kola, mais il s'efforçait de paraître irréprochable, renonçant aux cigarettes, lui qui fumait ses deux paquets de Job par jour, et à la Pilsner Urquell dont il s'abreuvait. Armé d'une bouilloire à ablutions, il se précipitait chaque vendredi à la mosquée, accompagné d'Abdoulaye. J'aurais pu rire de tout cela si Denis n'avait été si visiblement perturbé. La grand-mère ne lâchait pas Sylvie, rebaptisée Massa et Aïcha, systématiquement appelée Moussokoro. Elle les lavait, les coiffait, les faisait manger à la main, ne leur permettait pas de jouer puisqu'elle les tenait perpétuellement serrées contre sa poitrine où elles finissaient par s'endormir. Lui, au contraire, elle ne se bornait pas à l'ignorer, ce qui sans doute aurait été douloureux. À tout moment, elle vociférait à son adresse des ordres en malinké qu'il était bien incapable de comprendre. Comme il restait hébété à la fixer, j'étais convaincue qu'elle allait lui lancer ses sandales à la tête ou le frapper. À chaque fois, s'il était présent, Abdoulaye s'acquittait avec ostentation de ce qui avait été demandé tandis que Denis, honteux, ravalait ses larmes. Un jour, je n'y tins plus et me plaignis à Condé :

« Ta mère est odieuse avec Denis. »

Il leva les yeux au ciel :

« Qu'est-ce que tu vas encore chercher ? Il faut avouer que Denis est un peu agaçant. Tu es la première à reconnaître qu'il est trop mou. Une vraie petite fille. Regarde la différence avec Abdoulaye !

— J'aime mieux ne pas faire cette comparaison », répondis-je avec hauteur.

Parfois, pour distraire sa mère, Condé invitait des griots qu'il connaissait grâce à la « Quinzaine Théâtrale ». Ils arrivaient en général à trois : deux chanteurs qui s'accompagnaient à la cora et un joueur de balafon. Ils prenaient place sur notre petite terrasse au milieu de la foule des voisins, accourus pour les écouter. Quand les accents de leur musique s'élevaient dans l'air, malgré moi, mon émotion était intense, causée par la magie des sons et de l'heure. Contre le ciel assombri, des paquets de chauves-souris voletaient lourdement vers le faîte des bouquets d'arbres qu'on aurait dits dessinés au fusain sur de grandes feuilles de papier gris. Il me semblait que tous ceux que j'avais aimés, perdus, revenaient m'entourer et meubler ma solitude. Voilà que je n'étais plus seule, mais comblée par ces présences invisibles.

La fin des concerts était suivie d'une sorte de quête. Chacun déposait, dans une corbeille que promenait Abdoulaye d'un air fiérot, une obole plus ou moins importante selon l'enthousiasme qu'il avait ressenti. Les plus admiratifs, selon la coutume, tentaient de coller des billets de banque sur le front des musiciens.

La visite de Moussokoro, prévue pour durer des semaines, tourna court. Elle n'était pas avec nous depuis un mois qu'un après-midi, Condé entra précipitamment dans la chambre où je faisais la sieste et m'annonça d'un ton désespéré :

« Ma mère s'en va.

— Déjà !

— Elle se plaint que nous la recevons mal.

— Que nous la recevons mal ? » répétai-je, interdite.

Il s'assit sur le lit :

« Elle veut refaire le toit de sa case ainsi que sa plomberie. Où veux-tu que je trouve cet argent ? Il faudrait que j'emprunte. Mais à qui ? Sékou n'a pas un sou.

— Ne pourrais-tu essayer de lui expliquer… »

Il ne me laissa pas le loisir d'achever ma phrase.

« Si je ne lui donne pas ce qu'elle veut, elle va gâter mon nom partout. Elle dira que je suis un mauvais fils, un bon à rien. »

Il y eut un silence, puis il reprit :

« Elle dit aussi que tu la mets mal à l'aise. Elle sent que tu la méprises, que tu méprises les Africains. »

Je haussai les épaules. On en revenait toujours à la vieille querelle qui ne s'apaiserait jamais. Qui méprisait qui ? Comment abattre ce mur d'incompréhension qui séparait nos deux communautés ?

Finalement, Condé emprunta de l'argent à un commerçant malinké, spécialiste du marché noir qui achetait en Sierra Leone des produits de première nécessité et les revendait ensuite à prix d'or. Cet homme peu recommandable devait devenir notre créancier attitré. Grâce à lui, Condé put donner à sa mère de quoi remettre en état son toit et sa plomberie, mais en plus, il put la couvrir de présents. Ainsi, il lui offrit un mouton d'une blancheur immaculée. Pattes liées, il bêlait lugubrement dans le taxi qui le conduisait à Siguiri. Il y arriverait à point nommé pour la Tabaski que Moussokoro ne voulut pas attendre pour la fêter avec nous. Son fils l'avait profondément déçue.

Pourquoi ?

N'était-ce pas simplement parce qu'il était marié à une étrangère ?

Je méditai longuement sur le séjour chez nous de la vieille dame. À cause de lui, je crus mieux comprendre la société malinké. Il m'apparut qu'elle reposait sur une série de gestes, de prescriptions obligatoires : ne pas fumer, ne pas boire d'alcool, ne pas manquer ses cinq prières, se rendre à la mosquée, ne pas omettre les cadeaux aux parents. Ces gestes n'étaient plus guère qu'une série d'automatismes, vidés de leur sens initial. Le cœur, le cœur ne comptait pas. Qu'importait la ferveur avec laquelle on se prosternait sur les dalles de la mosquée. Qu'importait la manière dont on se procurait les offrandes dues à la famille. Condé n'aurait pas pu, sans perdre la face, expliquer à sa mère qu'il se débattait dans les pires difficultés financières. Pareil aveu n'aurait certainement pas excité sa compassion. Au contraire ! Peut-être, aurait-il suscité son mépris.

Mais ce séjour fut surtout pour moi l'occasion d'une sévère autocritique. Moussokoro Condé se plaignait que je la méprise. Je m'en défendais. Néanmoins, n'avait-elle pas raison ? Je garde dans ma tête l'image d'une photographie prise au jardin du Luxembourg. On y voit ma mère souriant de toutes ses dents de perle, ses yeux en amande, étirés sous son taupé gris. À mon insu, n'avais-je pas comparé les deux femmes, donnant l'avantage à celle que je ne cessais pas de pleurer dans le secret de mon cœur ? N'avais-je pas inconsciemment remodelé Moussokoro selon des critères qui ne lui convenaient pas ?

Condé fut visiblement soulagé du départ de sa mère et revint à ses habitudes. Depuis peu, il s'était lié avec un soi-disant cinéaste et un musicien algériens qui vivaient avec deux sœurs peules que l'on disait prostituées dans une bicoque délabrée. Afin que nul n'ignore qu'ils étaient des « artistes », ils laissaient pousser leur tignasse frisée jusqu'aux épaules et portaient d'étranges djellabas d'indigo. Condé n'osait imiter leur vêture, mais buvait avec eux jusqu'à plus soif. Sékou Kaba lui reprochait vivement ces mauvaises fréquentations, indignes d'un honnête père de famille. Je n'en fis jamais autant. Je savais qu'il cherchait ainsi à manifester sa liberté, son individualité. Au fond de lui-même, il étouffait en Guinée où il était insatisfait, frustré, pas heureux.

Comme moi.

Le complot des enseignants

Pendant ce temps, la réunion du Syndicat National des Enseignants se préparait fiévreusement. Son but essentiel était d'évaluer les acquis de la réforme qui piétinait faute de moyens. Le Rapport principal devait être présenté par le Secrétaire Général, Djibril Tamsir Niane, historien respecté, auteur du livre-culte que j'avais lu et relu *Soundjata ou l'épopée mandingue*. Seyni préparait un Rapport Annexe et Néné Khaly un long poème dont il ne nous révéla que le titre : « Mamadou, Bineta et la Révolution ».

« Ce sera un terrible brûlot ! nous confia-t-il. Je place mes critiques dans la bouche de deux écoliers naïfs ! »

Un soir, avant le dîner, Seyni monta à Camayenne au volant de sa Skoda bleu ciel pour me faire lire le texte de son Rapport. Il emmenait avec lui un de ses fils, Djibril, grand ami de Denis. Pendant que les enfants jouaient, je feuilletai le Rapport. Il me parut un texte très technique, sans danger. Il préconisait une refonte approfondie des ouvrages scolaires. Il souhaitait en particulier que dans les manuels d'histoire apparaissent davantage de chapitres sur les esclavages, maghrébin et occidental (vœu qui des années plus tard fut celui du Comité pour la Mémoire de l'esclavage en ce qui concerne toutes les écoles françaises) ainsi que sur les résistances africaines à la colonisation.

« C'est de la dynamite ! » m'assura Seyni cependant.

Deux jours plus tard, à l'heure du petit déjeuner, la radio nous informa que Djibril Tamsir Niane avait été arrêté. Dans la foulée, avaient aussi été arrêtés un grand nombre de responsables syndicalistes, en majorité peuls comme par hasard. Ces arrestations se justifiaient, paraît-il, car tout ce monde s'était servi de cette réunion du Syndicat pour masquer un complot avec des puissances étrangères en vue de renverser l'État guinéen. Cela aurait pu être grotesque, risible si cela n'avait été si effrayant. Je ne pensai pas tout de suite à Seyni et à Néné Khaly. Puis, l'inquiétude me prit. Vers dix heures, comme je n'avais pas cours à Bellevue ce jour-là, je cherchai un taxi pour me conduire en ville, ce qui à Camayenne était toujours une entreprise compliquée. Au bout d'une heure, je finis par trouver une 404 poussive et déglinguée. Ni Olga ni Anne n'étaient à la PMI où on était sans nouvelles d'elles. Taraudée à présent par l'angoisse, je courus chez elles. Mais je ne pus avoir accès ni à la maison d'Olga et de Seyni ni à celle d'Anne et Néné Khaly qui étaient gardées par d'épais cordons de soldats ! Que pouvais-je faire sinon retourner à Camayenne ? L'après-midi se traîna, remplie des rumeurs les plus inquiétantes. Personne ne semblait s'être rendu au travail et les gens s'entretenaient par petits groupes dans les rues. Je ne fermai pas l'œil de la nuit tandis que Condé ronchonnait :

« Est-ce que cela te regarde ? Occupe-toi de tes enfants ! »

Le lendemain, les premiers bulletins d'information

nous apprirent que les élèves du lycée de Donka dont Niane était le proviseur, un proviseur aimé et respecté, se mettaient en grève pour le soutenir. Le surlendemain, par solidarité, tous les établissements scolaires du pays, même ceux des régions les plus lointaines, firent de même.

Quand j'arrivai au collège de Bellevue, les filles étaient massées dans la cour, refusant d'entrer en classe bien que la cloche ait sonné. Pourtant, ce n'étaient pas des rebelles, nos élèves, surtout les petites de sixième. Il suffit d'une exhortation de Mme Batchily pour persuader la plupart d'entre elles de reprendre le chemin des salles de classes. Seule resta dehors une vingtaine de « grandes » de troisième. Pour manifester leur rébellion, elles se mirent à lancer des pierres aux mangues et s'assirent sous les arbres pour les déguster. Tout cela n'était pas bien méchant ! Vers dix heures, les grilles du collège furent ouvertes avec fracas et des camions chargés de militaires en armes déboulèrent dans la cour. Les militaires sautèrent à terre et sans avertissements, sans sommations préalables, se jetèrent sur les jeunes filles. Terrifiées, elles tentèrent de s'enfuir dans tous les sens, mais les soldats les rattrapèrent, les jetèrent à terre, s'acharnant sur elles à coups de crosse de fusil. Je n'avais jamais été témoin d'un spectacle d'une pareille sauvagerie. J'ai dépeint ces scènes dans *Heremakhonon*, mais j'ai fait de Birame III, le héros des élèves arrêtés, le favori du professeur Véronica. En réalité, Birame III était un jeune garçon extrêmement intelligent et questionneur, fils d'un médecin que je rencontrais souvent chez Olga et Seyni. À chaque fois, nous discutions de révolution. Il fut emmené dans un camp où il fut battu et torturé, mais d'où il parvint à s'échapper. Je le retrouvai à Dakar des années plus tard chez Olga et Seyni qui avaient enfin quitté Moscou. Devenu médecin comme son père, il était complètement embourgeoisé et parlait de son passé de militant comme d'une erreur de jeunesse.

Les faits que je relate sont connus sous le nom de « complot des enseignants ». Il est à déplorer qu'ils aient fait l'objet de très rares publications. Ils constituent le premier crime organisé sur une grande échelle par le régime de Sékou Touré. Ce fut une véritable purge qui tenta d'abord d'éliminer l'ennemi peul, mais s'attaqua aussi à tous les patriotes. Des lycéens furent tués, d'autres emprisonnés de longs mois. Des centaines de citoyens furent torturés, des centaines d'autres furent contraints de s'exiler. Qu'étaient devenus mes amis ? Après des jours d'anxiété, une Mercedes de la Présidence m'apporta un mot d'Hamilcar. Il m'apprenait que Seyni, Olga et leurs trois enfants étaient sains et saufs et avaient été déportés en… Russie. Malheureusement, Néné Khaly avait été arrêté. Anne et ses deux filles avaient pu s'enfuir à Dakar. Voulant en savoir davantage, un matin, je me fis conduire à l'hôtel Camayenne où Mario et Hamilcar résidaient d'habitude. Il devait y avoir une importante réunion politique. L'hôtel était bondé d'Arabes, certains coiffés du keffiyah. Mario et Hamilcar demeurèrent introuvables. Je ne devais plus jamais les revoir en Guinée même si la feuille de chou du Parti Unique ne faisait pas mystère de leurs visites dans la rubrique « Personnalités présentes ce jour à Conakry ».

Pourquoi ne cherchèrent-ils jamais à me revoir ?

Des années plus tard, Mario et moi fréquentâmes les bureaux de l'auguste maison Présence Africaine.

Il était surtout préoccupé de persuader sa compagne, la cinéaste Sarah Maldoror, qu'il ne s'était jamais rien passé entre nous. Aussi nous ne revînmes jamais sur ce temps-là.

Le « complot des enseignants » causa dans les esprits un traumatisme terrible. Une paranoïa se développa à travers le pays. Jadis, on redoutait les pénuries. Désormais on craignit pour sa vie. On se sentait à la merci d'un pouvoir cruel et fantasque. Tout le monde épiait les innombrables voitures de police marron sombre circulant à toute heure, pareilles à d'énormes ravets. Où allaient-elles ? Qui transportaient-elles ?

Conscient de mon profond changement d'attitude vis-à-vis du régime, Sékou Kaba tentait de me persuader qu'effectivement, il y avait eu complot. Que les arrestations des syndicalistes étaient justifiées ainsi que les nombreuses expulsions. Quant à Condé, il ne cessa de me prédire que je serais moi aussi jetée en prison. Cependant, si deux jeunes cousines d'Olga qui vivaient chez elle furent expulsées, je ne fus jamais inquiétée.

Frantz Fanon Revisited

Un évènement survint peu après pour achever de me métamorphoser en contestataire résolue du régime. Le 6 décembre 1961, Frantz Fanon mourut d'un cancer à Washington, aux États-Unis. Sitôt que la nouvelle fut connue en Guinée, Sékou Touré décréta un deuil national de quatre jours. Frantz Fanon, je le connaissais. Rappelons qu'en 1952, après la publication des bonnes feuilles de *Peau noire, masques blancs* dans la revue *Esprit*, j'avais écrit à Jean-Marie Domenach pour protester contre cette vision des Antilles. Je comprenais maintenant que j'étais alors trop immature, trop « peau noire, masque blanc » moi-même pour comprendre un tel ouvrage et que je devais revenir sur ma lecture. Je m'enfermai donc avec tous les ouvrages de Frantz Fanon. *Les Damnés de la terre* surtout furent une révélation d'où je ne sortis pas indemne. Il me sembla que le chapitre III, « Mésaventures de la conscience nationale », avait été écrit à l'intention de la Guinée, quand les auteurs de la révolution en deviennent peu à peu les fossoyeurs. Le chapitre IV, « Sur la culture nationale », malgré la citation de Sékou Touré, placée en exergue ou peut-être à cause d'elle comme en une ultime ironie, fit tomber les dernières écailles de mes yeux. Fanon se posait contre tout essentialisme et démontrait que les « Noirs » n'existaient en tant que tels que dans la perception des Européens. Mais il allait encore plus loin. Alors que la culture, fondement de la Négritude, était présentée comme un bloc monolithique, Fanon refusait de lui donner une définition pour insister sur son caractère mouvant et constamment novateur.

« La culture n'a jamais la translucidité de la coutume. La culture fuit éminemment toute simplification… Vouloir coller à la tradition ou réactualiser les traditions délaissées, c'est non seulement aller contre l'histoire, mais contre son peuple. »

Combien de fois par la suite ai-je cité ces phrases ? C'est de cette époque-là que je me détachai passablement d'Aimé Césaire, tout en continuant d'admirer sa poésie et devins une Fanonienne convaincue. Mon nouvel engagement ne changeait pas grand-chose à ma vie. Il n'y avait, à ma connaissance, pas de réunion secrète et clandestine autour de moi. L'opposition guinéenne était peu organisée à l'intérieur et se situait principalement à l'extérieur du pays. Le mythe entourant Sékou Touré était tel que les opposants étaient uniformément assimilés à des contre-révolutionnaires et peu écoutés. L'accueil réservé à mon roman *Heremakhonon* paru en 1976 en est la preuve. Que j'ose peindre Sékou sous les traits du dictateur Malimwana offusqua journalistes et lecteurs à la fois.

Comme il me devenait impossible de commander des livres à Dakar, j'allais en emprunter chez Yolande qui possédait avec Louis une magnifique bibliothèque. Des centaines d'ouvrages tant en français qu'en anglais, soigneusement étiquetés et classés. Yolande m'accueillait avec enthousiasme, se réjouissant que j'aie repris goût aux choses de l'esprit.

« Louis ne cesse de dire qu'un jour, vous nous surprendrez tous ! m'assurait-elle.

— En faisant quoi ? » me moquais-je.

Elle prenait son air inspiré :

« Je vous vois bien écrivant des romans. »

Nous riions toutes les deux de cette bonne plaisanterie. Elle poursuivait :

« Vous avez d'incontestables talents de conteuse. Par exemple quand vous me décrivez votre enfance dans votre famille de Grands Nègres. »

En effet, Yolande était la seule personne avec qui je parlais quelquefois de moi. Pourtant, durant ces années-là, l'éventualité d'écrire ne m'effleurait même pas.

La situation de Condé avait changé. Il n'était plus à Conakry que le week-end et passait le reste de la semaine dans les régions à organiser sa Quinzaine Théâtrale. C'était un travail extrêmement ardu non pas simplement parce qu'il ne disposait ni d'argent ni de collaborateurs pour le mener à bien. C'était à cause de sa nature même. La notion de « pièce de théâtre » était conçue en Guinée comme une succession d'intermèdes musicaux et dansés éventuellement entrecoupés de tirades poétiques. Personne ne prenait au sérieux les directives de Condé et ses tentatives de modernisation. Il n'appartenait pas à une famille de griots. Aussi, on ne lui reconnaissait aucune compétence artistique, ses années d'études dans un conservatoire parisien ne signifiant rien. Aux yeux de Condé, cependant, le pire était que les « pièces de théâtre » servaient de véhicules au mécontentement général. Les créateurs en profitaient pour exprimer de façon souvent fort originale leurs critiques vis-à-vis du régime. Il chercha donc de la protection en haut lieu. Après moult délibérations avec Sékou Kaba, il décida de tenter d'intéresser Keita Fodéba à ses problèmes.

Pourquoi choisit-il Keita Fodéba ? C'est qu'avant de devenir ministre de la Défense, ce dernier avait créé et dirigé « Les Ballets Africains » qui s'étaient taillé une réputation à travers le monde. Il avait vaguement connu Condé à Kankan et l'ayant applaudi dans un spectacle d'amateur, l'avait encouragé à faire du théâtre. Quand Condé me pria de l'accompagner chez lui, je commençai par refuser. C'était un fait connu de tous que Keita Fodéba avait considérablement changé et était devenu un des hommes les plus dangereux de l'équipe au pouvoir. C'était un ministre de la Défense impitoyable. On chuchotait qu'il était l'instigateur d'une idée qui devait faire son chemin : celle d'un camp de torture pour les opposants au régime.

Si je finis par accepter la proposition de Condé, ce fut, une fois de plus, en songeant aux enfants. Ils grandissaient comme des misérables dans le dénuement le plus absolu. Améliorer la situation professionnelle de leur père ne pouvait entraîner pour eux que des effets bénéfiques.

« Le Paradis ? Un peu plus loin »

Mario Vargas Llosa

Un dimanche donc, nous nous entassâmes dans la 4 CV Renault, achetée à grand-peine à un coopérant français qui rentrait à Angoulême et nous prîmes la direction de la Cité des Ministres.

Sitôt franchi le barrage des guérites remplies de militaires armés jusqu'aux dents examinant férocement les papiers d'identité des visiteurs, nous abordâmes un autre monde. Un monde de luxe, de calme et de volupté. Des haies fleuries, des pelouses vert tendre soigneusement ratissées, des arbres magnifiquement taillés, des villas longues, basses, blanches. L'impression que produisit sur moi ce quartier résidentiel fut si profonde que j'en donne la description roman après roman de *Heremakhonon* jusqu'aux *Belles Ténébreuses*. C'est à ce propos que j'entendis l'anecdote que j'attribue à Big Boss dans cet ouvrage. Sékou Touré s'étant rendu au Brésil en visite officielle, il avait tant admiré la forêt amazonienne que de retour à Conakry, il avait voulu la reproduire autour de sa demeure, futaie et vautours pape compris. Des dizaines de jardiniers et d'ornithologues s'y étaient employés pendant des nuits et des jours.

J'avais déjà aperçu Keita Fodéba lors de la représentation de l'ensemble traditionnel à la Présidence de la République. C'était un homme taciturne, peu souriant et peu causant. Il nous reçut sans chaleur. Sa femme, Marie, une jolie métisse couverte de bijoux et harnachée comme toutes les épouses des hauts dignitaires, n'avait visiblement rien à nous dire et répéta une dizaine de fois la même question avec le même sourire vide :

« Ça va bien ? »

Heureusement, elle n'attendait pas de réponse à cette question. Autour d'eux, il y avait l'habituel lot de parents parasites qui nous regardèrent avec mépris comme d'ennuyeux suppliants. La surprise vint de leur fils, Sidikiba, qui avait l'âge de Denis. Contrairement à ce qu'on aurait pu attendre, il était lui aussi timide et introverti. Aussi, dès le premier regard, les deux petits garçons s'entendirent à merveille. Le bonheur qu'éprouva Denis à se trouver enfin un compagnon de jeux, lui toujours solitaire et exclu, fut palpable. Sidikiba possédait une écurie de voitures électriques dans lesquelles un enfant de six ou sept ans pouvait s'asseoir. Rien n'y manquait. De la Land Rover à la Cadillac ou à la camionnette Peugeot. Bientôt le raffut fut tel que Keita Fodéba dut faire la grosse voix quand il fallut passer à table. Le repas fort simple fut un délice. Des huîtres locales, des cèpes, un mouton en méchoui, fondant sous nos langues habituées à la chair pierreuse de chétifs poulets ! Keita Fodéba ne se servit pas. Un domestique posa devant lui une assiettée de sauce feuille tandis que Marie nous expliquait :

« Tous ces mangers de Blancs, il n'aime pas. Il lui faut son riz !

— C'est comme moi ! » surenchérit Condé, courtisan.

Mal lui en prit ! Sur un signe de Marie, une assiette identique lui fut aussitôt servie.

Le déjeuner terminé, Condé et Keita Fodéba s'enfermèrent dans un bureau pour s'entretenir de la « Quinzaine Théâtrale » tandis que je restais sur la galerie avec les autres convives qui riaient aux éclats, parlaient malinké avec animation et m'ignoraient superbement. À présent, de cela j'avais l'habitude. Au moment de prendre congé, Sidikiba aussi bien que Denis, Sylvie et Aïcha pleurèrent à chaudes larmes de devoir se séparer.

« Il faut les ramener ! » grimaça gentiment Keita Fodéba.

Quant à moi, aussitôt dans la voiture, je fis à Condé une scène d'une extrême violence, ce qui était inhabituel. En général, nous nous bornions à nous ignorer et à mener nos existences comme bon nous semblait. C'est que j'avais honte. Alors que je me trouvais devant le principal suppôt d'un dictateur, j'avais entretenu avec lui une conversation laborieuse et insipide. Je n'avais pas soufflé mot des cruelles difficultés dans lesquelles la majorité se débattait. Moi aussi, j'étais lâche. J'avais parfaitement tenu le rôle de la pauvresse venue quémander des faveurs.

« Tu aurais voulu l'injurier ? me demanda Condé éberlué. Chez lui ? C'est ainsi qu'on t'a élevée ? »

Je ne sus que répondre.

À mon grand étonnement, cette visite porta bientôt ses fruits. Le ministre fit attribuer à Condé un ample budget, une Skoda de service, des bons d'essence et surtout, il fit aménager pour la « Quinzaine Théâtrale » une ancienne salle de cinéma. Condé, qui n'avait pas froid aux yeux, la baptisa « Théâtre National Populaire » et se mit à écrire lettre sur lettre à Jean Vilar pour l'inviter à se rendre en Guinée. Je crois que celui-ci répondit par courtoisie à l'une d'entre elles et promit de considérer l'invitation.

« Tu te rends compte, me répétait fiévreusement Condé, si Jean Vilar acceptait de venir ici ! Cela changerait tout pour moi. On me prendrait au sérieux ! »

J'avais des doutes là-dessus. Dans ce pays souffrant et affamé, qui se soucierait de la présence de Jean Vilar ? Savait-on seulement qui c'était ?

Ce fut une période relativement heureuse pour notre couple. J'aurais adoré accompagner Condé dans ses missions à l'intérieur du pays, car je n'avais jamais quitté Conakry. Mais il était plus prudent de rester à Camayenne avec les enfants. Chaque nuit, des coups de feu éclataient aux quatre coins de la ville, puis les mugissements des voitures de police déchiraient l'air. Chacun tremblait dans son lit. Je me consolais en passant mes après-midi au « Théâtre National Populaire » quand les troupes s'entraînaient. Je n'avais toujours pas appris le malinké ni aucune autre langue. Malgré cela, je parvenais à apprécier les griots. Paroles/musique où les sons s'interpellent et se répondent. Je fus bientôt capable de distinguer le son de chaque instrument, qui ne sert pas à faire valoir la voix humaine, mais doit être entendu, saisi dans sa force et sa beauté particulière. Je m'asseyais au dernier rang de la salle et, yeux fermés, j'écoutais le diély Moro Kante qui s'accompagnait à la kora. Le vacarme et les hurlements que l'on entendait à la radio étaient bien loin de cette harmonie. Ils ne constituaient qu'une perversion d'un art, tout de mesure. D'ailleurs est-ce que les griots n'étaient pas en passe de disparaître ? En tout cas ils étaient menacés. Prétextant de leurs difficultés de survie depuis qu'il n'existait plus de grandes familles pour les entretenir, Sékou Touré entendait les fonctionnariser, c'est-à-dire en faire un corps de flatteurs au service de sa plus grande gloire. Déjà, une clique à sa solde réécrivait sans vergogne l'histoire et en faisait le descendant de l'Almamy Samory Touré, le grand résistant à la colonisation.

Outre le désir de recevoir Jean Vilar à Conakry, Condé caressait un autre rêve. Il aurait aimé que Sékou Touré en personne vienne inaugurer la « Quinzaine Théâtrale ».

« Pourquoi veux-tu t'embarrasser de ce dictateur inculte ? questionnais-je.

— *Dictateur inculte*, c'est toi qui l'appelles ainsi. Moi, je sais que c'est le président de la République ! » rétorquait-il.

Sékou Touré n'assista jamais à la « Quinzaine Théâtrale ». Il se contentait d'envoyer un sous-fifre de son cabinet, témoignant par là, en dépit de ses tirades à la radio, de son peu d'intérêt pour la Culture. Nos discussions furent interrompues quand la « Quinzaine Théâtrale » fut brutalement supprimée. Malgré les innombrables corrections exigées par Condé, la pièce d'un certain Guilavogui de N'Zérékoré intitulée *Le Fils de l'Almamy* fut jugée trop critique du régime. Guilavogui fut jeté en prison, ses épouses et ses enfants s'enfuirent et se réfugièrent à Cayes, car l'une de ses femmes était malienne.

En tant que directeur de la Quinzaine, Condé dut écrire des lettres fiévreuses pour se disculper. En fin de compte, il ne fut pas politiquement inquiété, mais fut tout de même puni puisqu'il perdit son budget de fonctionnement, sa Skoda et ses bons d'essence. Nous en fûmes réduits à un triste passe-temps : chercher de l'argent pour végéter. Car je n'enseignais plus au collège de Bellevue. Le seul à croire encore que la réforme de l'enseignement verrait le jour était Louis Gbéhanzin. Il avait conçu un programme d'Éducation Supérieure. Des élèves titulaires du baccalauréat et recrutés par concours devaient être entourés des meilleurs enseignants du pays (dont apparemment, ô surprise, je faisais partie à ses yeux) et conduits en deux ans à une qualification spéciale. Ce qui, pour moi, devait être une promotion n'en fut pas une. Pour des raisons que j'ai oubliées et qui peut-être ont simplement nom l'incurie et la désorganisation du pays, ce programme tarda à prendre forme et fut finalement abandonné.

Depuis les premiers mois de l'année 1962 donc, je ne percevais aucun salaire, attendant celui que devaient m'assurer mes nouvelles fonctions. Incapables de survivre sur le seul salaire de misère de Condé, nous étions de ce fait criblés de dettes. Condé empruntait continuellement au commerçant malinké qui dans le passé lui avait sauvé la mise. Chaque jour, Gnalengbè nous envoyait à manger. Mais ces repas-là avaient la saveur de l'échec et me restaient en travers de la gorge. De là vient sans doute mon aversion pour la cuisine guinéenne, moi qui aime tant la cuisine africaine en général. Puisque je ne donnais plus de cours, j'étais souvent tentée de rester toute la journée au lit et ne prenais aucun soin de moi-même. Seules mes deux petites filles dont je m'occupais d'autant plus qu'il n'y avait à Conakry ni crèche ni jardin d'enfants, même privés, m'empêchaient de sombrer totalement dans la déprime. Je m'émerveillais de les trouver si différentes l'une de l'autre. Autant Sylvie était obéissante et avide de plaire, autant Aïcha était têtue, volontaire et capricieuse. C'était un intrigant bonheur d'être témoin du développement de leurs personnalités. Quant à Denis, puisque tout le monde s'accordait à le trouver mou, « petite fille », je décidai d'en faire un « vrai garçon » et l'inscrivis aux « Jeunes de la Révolution ». Le week-end, il s'en allait se baigner à la piscine, prendre part à des matchs de football ou à d'interminables marches en brousse. Je voyais bien qu'il haïssait ces activités, mais je tenais bon. Je ne me doutais pas que le pire était en réserve. Un jour, mal remis sans doute du traitement que lui avait infligé la grand-mère, il me demanda tout à trac :

« Est-ce que je suis bien le frère des filles ?

— Pourquoi me poses-tu cette question ? fis-je, prise de court.

— C'est que je suis si clair et qu'elles sont noires. »

Je savais bien qu'un jour, nous aurions une conversation de cet ordre. Mais je ne l'envisageais pas si tôt ! Il avait à peine six ans. Je ne trouvai rien de mieux à faire que d'avouer la vérité, car trop de mensonges et de non-dits empuantissaient l'atmosphère autour de nous.

« C'est que tu n'as pas le même père qu'elles ! » bégayai-je.

Il écarquilla ses beaux yeux marron qui aussitôt s'emplirent de larmes :

« Tu veux dire que je ne suis pas le fils de papa ? »

Sur ce point, la Guinée n'était pas très regardante. À l'école, au dispensaire, aux « Jeunes de la Révolution », partout, on le connaissait comme « Denis Condé ».

« Non ! expliquai-je, consciente de ma cruauté, mais incapable de reculer. Ton père est un Haïtien.

— Un Haïtien ! » cria-t-il effaré, comme si je lui avais répondu : « Un Martien ! »

C'est de ce moment que les relations entre mon fils et moi commencèrent de se compliquer, de se dégrader et que lui, si tendre, si sensible devint peu à peu un être asocial, un révolté, qui traversa la vie en accumulant les bleus à l'âme.

Je m'étais, quand même, relativement « intégrée » à mon quartier. Les gens ne sortaient plus sur le pas de leurs portes pour me regarder passer en s'esclaffant bruyamment. Les petits enfants ne couraient plus se cacher dans les pagnes de leurs mères et les gamins ne me suivaient plus en chantonnant des chansons injurieuses. On peut même dire que je m'étais fait des relations, certes moins politisées que Seyni et Olga ou Néné Khaly et Anne, moins prestigieuses que Mario et Hamilcar. La villa à gauche de la mienne était occupée par une Guadeloupéenne originaire de Sainte-Anne, Françoise Didon, aujourd'hui mon amie de cinquante ans. Elle vivait avec René, un coopérant qui prétendait avoir refusé de terminer son service militaire en Algérie et tenté de rejoindre les rangs du FLN.

« Mais ils se sont méfiés ! racontait-il amèrement. Et ils n'ont pas voulu de moi. »

Je prenais des leçons non pas de malinké, mais de peul chez ma voisine de droite, une jeune institutrice originaire de Dalaba dont le mari avait été arrêté lors du « complot des enseignants ». Un soir, alors que personne ne s'y attendait plus, il était réapparu chez lui, mais il était mort au matin d'une hémorragie interne, causée par les coups dont on l'avait abreuvé. On disait qu'il avait tenu à embrasser sa femme avant de disparaître à jamais.

Je fréquentais aussi assidûment deux Françaises, Fanny et surtout Frédérique. Cette dernière était peintre. Elle m'avait abordée alors que nous faisions la queue au magasin d'État pour me demander la permission de faire le portrait de Sylvie et Aïcha tant celles-ci lui paraissaient adorables. Au cours des longues séances de pose, je dus accompagner les petites chez elle et nous devînmes vite intimes. Le joli tableau qu'elle intitula simplement « Les enfants Condé », c'est un de mes profonds regrets de l'avoir laissé dans notre villa de Camayenne quand j'ai quitté la Guinée. Condé la quitta à son tour, plusieurs années après moi de manière hâtive, semi-clandestine et ne songea pas à s'en charger. Aussi, j'imagine avec chagrin les nouveaux occupants du logement le jetant aux ordures. Frédérique, féministe convaincue, me faisait lire son idole, Simone de Beauvoir, que je connaissais assez mal. Pourtant, elle était la quatrième épouse d'un polygame qui vivait non loin avec ses trois autres femmes. Quand je m'étonnais de cette contradiction, elle entrait en fureur :

« Oumar ne me demande aucune corvée : tenir sa maison, laver son linge, lui faire à manger. Nous nous voyons pour notre seul plaisir et quand nous en avons envie. J'élève la fille que j'ai eue de lui comme je veux. Je n'ai aucun compte à lui rendre. Je suis libre. »

Je me moquais :

« Donc, selon toi, polygamie = émancipation de la femme ?

— Au moins, rétorquait-elle, je suis parvenue à te faire marrer. »

Car, je n'avais appris ni à rire, ni à sourire. En

vérité, quel évènement plaisant survenu dans ma vie aurait pu modifier mon comportement ? Mes jours étaient lugubres.

Parfois, j'emmenais mes enfants pique-niquer aux îles de Loos avec Gillette. En effet, au début de 1962, elle s'était installée à Conakry. Elle avait d'abord formé avec Jean un des couples les plus en vue de Conakry. Dans leur élégante villa, ils recevaient le gratin de la société. Inutile de dire que ni Condé ni moi n'étions jamais invités à ces parties.

Puis la catastrophe était survenue, troublant cette belle harmonie. On avait découvert que Jean n'était pas médecin. Exclu de la faculté de Médecine de Paris, il s'était rabattu sur une formation d'infirmier. Le scandale fut énorme et cependant vite étouffé. Vu les relations de sa famille, Jean parvint à se recaser comme directeur de l'Imprimerie Patrice Lumumba. C'était un poste considérable. À l'Imprimerie, s'élaborait toute la propagande du régime. Jean circulait en Chevrolet Impala, le cigare à la bouche et donnait des ordres à des dizaines d'employés. Pourtant Gillette vivait tout cela comme une humiliation et du coup, elle se rapprocha de moi.

Les îles de Loos formaient à un jet de pierre de Conakry un petit archipel paradisiaque. Leurs plages de sable blanc étaient parsemées de cocotiers penchés de carte postale. Il fallait prendre d'assaut les vedettes qui y menaient, car elles étaient toujours remplies par les femmes et la marmaille aux yeux bleus comme la mer et le ciel des coopérants russes. Si étrange que cela puisse sembler, née en Guadeloupe, alors seulement, je découvrais l'ivresse du large. Comme je l'ai raconté dans *Le Cœur à rire et à pleurer*, ma garde-robe ne s'est enrichie que fort tard d'un maillot de bain. Tout cet azur autour de moi m'enivrait. Je perdais conscience. Une fois, étendue sur un matelas pneumatique, je me laissai dériver si loin que des pêcheurs durent me ramener sur le rivage.

« Fais attention une autre fois ! » me recommandèrent-ils en s'éloignant.

Quand elle était aux îles de Loos, Gillette ne se baignait guère. Instruite par ses récents déboires, elle ne cessait de récriminer et d'exprimer sa haine des Africains et plus généralement de l'Afrique. Je ne savais que répondre à ses jérémiades. Moi, je ne haïssais pas l'Afrique. Je savais à présent qu'elle ne m'accepterait jamais telle que j'étais. Cependant, je ne la rendais nullement responsable de mes difficultés, conséquences de mes décisions personnelles. Ce qui me torturait, c'est que je n'arrivais pas à la cerner avec précision. Trop d'images contradictoires se superposaient. On ne savait laquelle privilégier : celle complexe et sans rides des ethnologues. Celle spiritualisée à outrance de la Négritude. Celle de mes amis révolutionnaires, souffrante et opprimée. Celle de Sékou Touré et de sa clique, proie juteuse à dépecer. Aussi comme Diogène qui cherchait un honnête homme aux portes d'Athènes, j'aurais voulu moi aussi m'armer d'une lanterne et courir en criant :

« Afrique, où es-tu ? »

« Nous n'irons plus au bois, les lauriers sont coupés »

Comptine anonyme

Au début de l'hivernage, je tombai malade. Très malade. Je m'évanouissais. Je ne pouvais rien garder. Condé ne trouva à cette maladie qu'une explication, toujours la même : la malaria. Moi, je savais d'expérience que la malaria cache souvent tout autre chose. Je tins donc à consulter un médecin, cette fois allemand, qui me fit un diagnostic similaire à celui de son collègue polonais, deux ans plus tôt : j'étais enceinte.

« Vous souffrez de la plus belle des maladies ! me dit-il dans un français excellent. Vous allez perpétuer la vie. »

J'étais atterrée. Condé, tout autant. Nous n'étions pas loin de croire à une malencontreuse opération du Saint-Esprit, tant nos rapports physiques étaient inexistants. À quel moment avions-nous fait l'amour ? Faire l'amour suppose soit de la tendresse, soit du désir. Nous n'éprouvions aucun de ces sentiments l'un pour l'autre. Condé passait le plus clair de ses nuits dehors. Quand il rentrait, nous dormions dos à dos sans nous toucher. Le matin, je me réveillais qu'il sommeillait encore. Paradoxalement, cette quatrième grossesse, tellement imprévue, tellement incroyable, fouetta mon énergie et éveilla une détermination toute neuve. Je compris qu'il fallait quitter la Guinée, pendant qu'il en était temps, que j'étais encore jeune. Je compris surtout qu'il fallait quitter Condé. Je ne pouvais m'empêcher de le comparer à mon père. Auguste Boucolon était né lui aussi dans la misère. Mais à cause de son intelligence et de sa détermination, il avait accompli une prodigieuse ascension sociale. Condé, lui, végétait dans la médiocrité et m'y maintenait. J'avais dans le passé sacrifié mon bonheur personnel pour rester à Conakry. Je voulais garantir à mes enfants un pays et un père. Mais mes calculs s'étaient révélés absurdes. La Guinée était exsangue, le père tout bonnement incapable de subvenir à leurs besoins.

En même temps et cela pouvait sembler paradoxal, je n'envisageais pas de quitter le continent africain. J'en étais sûre, je finirais par le comprendre. Il m'adopterait et ses trésors me combleraient.

À la rentrée scolaire, le projet de Louis Gbéhanzin ayant été définitivement enterré, je repris le chemin du collège de Bellevue.

« Encore enceinte ! s'exclama Mme Batchily en me voyant. (Elle n'avait qu'un fils, le beau Miguel, comme on l'appelait.) Cela vous en fait combien ?

— Quatre ! » répondis-je d'un ton d'excuse.

Elle parut consternée et me donna la pénible impression d'être une poule pondeuse. Je retrouvai les élèves avec étonnement. Le « complot des enseignants » avait laissé des traces indélébiles dans ces jeunes esprits. Aucune des gamines n'avait oublié le traitement que les militaires avaient infligé à certaines d'entre elles ni le chiffre des étudiants emprisonnés er martyrisés à travers le pays. On assurait même que trois élèves du lycée de Donka avaient été abattus. Les collégiennes autrefois passives s'étaient brutalement métamorphosées : elles n'étaient pas loin d'être devenues des rebelles. Parmi les nouvelles recrues, le personnel enseignant comptait un jeune Haïtien, Jean Prophète. Nous devînmes tout de suite très proches, mais cette fois rien d'amoureux. Nos relations eurent plutôt un tour fraternel. Il me raconta sa vie et j'entendis pour la première fois un schéma qui, hélas, me devint par la suite familier. Les Tontons Macoutes avaient exterminé sa famille tout entière. Il avait échappé au massacre, car, à ce moment-là, il jouait du piano à Pétionville chez un cousin. Heureusement, il était parvenu à rejoindre une tante réfugiée à Montréal et grâce à sa générosité, il avait pu achever des études de lettres. Jean et moi obtînmes l'autorisation peu habituelle de grouper nos classes et d'enseigner à deux. Désormais, nos cours devinrent des happenings où, au lieu de commenter sagement *La Prière d'un petit enfant nègre*, Jean dénonçait les crimes de François Duvalier (je frissonnais à chaque fois en pensant à Jacques qui était peut-être mêlé à tout cela). Après ce préambule, nous présentions aux élèves les principaux ouvrages de la littérature haïtienne que j'avais fiévreusement étudiés avec Jean. Je me rappelle que *Gouverneurs de la rosée* de Jacques Roumain arracha des larmes à nos classes. Mme Batchily fermait les yeux sur ces libertés. Je me rappelle même qu'elle prenait part à nos cours et intervenait dans les discussions. Chaque jour, Jean Prophète pédalait sur son vélo chinois « Pigeon Volant » jusqu'à Camayenne pour travailler avec moi. Comme Guy Tirolien, il s'entendait à merveille avec

Condé dont il partageait le grand goût pour la musique et surtout la bière Pilsner Urquell.

« Tu ne le comprends pas ! me reprochait-il. C'est un type formidable, déjanté comme tous les artistes. Toi, tu es une petite-bourgeoise. »

Quant aux enfants, il les adorait et se faisait appeler « Tonton Jean ».

Ayant en mémoire le terrible souvenir de mon accouchement, je redoutais de revenir à l'hôpital de Donka. Eddy qui avait terminé des études de sage-femme exerçait à Dakar et m'invitait à y venir. Je ne sais plus comment je parvins à obtenir une autorisation de sortie du pays, ce qui était virtuellement impossible et à être admise dans un avion de la compagnie Air Guinée alors que j'étais pratiquement à terme. Toujours est-il qu'au début du mois de mars, je m'envolai pour le Sénégal avec mes trois enfants, car je ne pus me résoudre à me séparer de Denis et interrompis sa scolarité. Après Conakry, Dakar me fit une excellente impression. Les rues étaient correctement éclairées, les pavillons de la SICAP, modestes, mais accueillants. Et puis, je m'étais habituée au visage de l'islam noir : infirmes, estropiés et miséreux se pressant aux abords des mosquées. Avant d'avoir lu *La Grève des bàttu*, le beau roman d'Aminata Sow Fall qui relate précisément une grève des mendiants, c'est-à-dire des porteurs de « bàttu », sébiles en wolof, j'avais compris ce que « spectacle » avait d'outré. Il avait pour but de rappeler aux nantis, trop souvent oublieux, leur devoir de charité envers leurs frères les plus démunis.

Grâce à un prêt d'Eddy, j'avais loué le premier étage d'une maison assez délabrée, dans un quartier un peu excentré. Le rez-de-chaussée était occupé par un atelier de brodeuses qui chantaient de plaintives mélopées en tirant leurs aiguilles enfilées de coton DMC aux vives couleurs dans des plastrons de boubous. À Dakar, on n'est jamais très loin d'une mosquée et le premier appel du muezzin me jetait toujours à genoux au pied de mon lit. Si je ne m'étais pas convertie à l'islam, c'est que mes amis me l'avaient assez répété : « la religion est l'opium du peuple ». Mais j'avais acheté un exemplaire du Coran qui avec la Bible devint mon livre de chevet.

Malgré mon peu d'argent, je me plaisais à Dakar. La ville était plus cosmopolite que Conakry. On y avait coutume de voir des étrangers et personne ne me prêtait attention. En outre, pousser la porte d'une librairie, respirer l'inimitable odeur des livres et surtout des journaux était un plaisir que je savourais à nouveau. Je lus avec passion *L'Aventure ambiguë* de Cheikh Hamidou Kane qu'étudiant, j'avais aperçu à Paris. J'étais consciente qu'à travers les pages de ce livre remarquable, un mythe se construisait. Sûr et certain : il n'y avait plus aujourd'hui de Grande Royale. Si elle existait encore, elle serait défigurée par les rigueurs du temps postcolonial, venant après les sévices de la colonisation. Je découvris les pionniers de la littérature africaine. Comme je demeurais ignorante ! Soit ! Je connaissais les maîtres de la Négritude. Mais il y avait aussi les écrits sans doute moins formellement achevés de nombreux écrivains que je découvrais. Je commençai à m'initier à ce qu'on appelle la littérature francophone, mon futur terrain d'études universitaires. Comment se métamorphosait le français lorsqu'il passait à travers le filtre d'une créativité étrangère, en l'occurrence africaine ? Il ne s'agissait pas simplement de répertorier et d'analyser les métaphores inattendues, mais de scruter la coloration intérieure de la langue. Se modifiait-elle ?

Cependant les deux « découvertes » les plus précieuses que je fis furent sans doute possible celle du cinéaste Sembène Ousmane et celle de l'écrivain haïtien Roger Dorsinville. Ces relations m'ont accompagnée tout le long de ma vie.

C'est par l'entremise de Myriam Warner-Vieyra, amie d'Eddy et épouse du cinéaste béninois Paulin Vieyra, que je rencontrai celui qui devait devenir mon défenseur indéfectible dans les nombreuses polémiques qui ont jalonné mon œuvre. Lors de la cabale que les écrivains sénégalais organisèrent autour de moi lors de la parution de *Ségou*, Sembène Ousmane fut infatigable. En vue de la présentation du livre que je devais faire, il m'accablait de recommandations :

« Prépare la liste des ouvrages que tu as lus et aussi celle de tes informateurs, car on va t'interroger là-dessus. »

Puis il ajoutait d'un ton douloureux :

« Tu connais si mal le bambara. Ils diront que tu n'as rien compris à ce que ces derniers t'ont dit. »

Il me paraît savoureux de révéler qu'un autre défenseur acharné de ce livre fut… Laurent Gbagbo. Il n'était pas encore président de la Côte-d'Ivoire. Il n'était qu'un jeune exilé politique courtisé par le parti socialiste français et… un ami dévoué. Sa voix d'historien avait beaucoup de poids et il m'accompagnait partout.

Sembène Ousmane habitait dans le village de pêcheurs de Yoff à la lisière de Dakar, une vaste maison de bois, traversée de bout en bout par les souffles venus du large. Tout en dévorant du riz au poisson, il parlait avec feu du court métrage qu'il préparait. Ce devait être *Borom Sarret* qui parut en fin 1963, un chef-d'œuvre, à mon avis son plus beau film. Il abordait fréquemment l'épineux sujet des langues nationales qui lui tenait à cœur.

« Dans nos films, les acteurs africains ne doivent pas s'exprimer en français. C'est une langue de colonisation qui les mutile et qui travestit leur personnalité. Ils doivent s'exprimer dans leur langue maternelle, celle qu'ils parlent et que tout le monde entend autour d'eux. »

Langue de colonisation, langue maternelle ! M'appuyant sur les théories du linguiste Mikhail Bakhtine, je devais par la suite m'opposer à cette dichotomie que je jugeais simpliste. Je ne le savais pas encore et j'approuvais religieusement. Plus qu'un marxiste, Sembène était d'abord un anticolonialiste. Sa voix se chargeait de douleur et de révolte quand il me décrivait la condition de son père détruit par les travaux forcés du temps colonial : construction de routes, de chemins de fer, de bâtiments publics. Sa mère s'était tuée à la tâche pour élever ses enfants. Une de ses sœurs avait été violée par un commandant de cercle. Il manquait de termes assez durs pour fustiger cette époque d'humiliation et de deuils.

« Malheureusement, nos dirigeants, rageait-il, sont les meilleurs élèves des colons. Voilà pourquoi indépendance et colonisation se ressemblent. »

J'avoue que je ne lui emboîtais pas le pas dans ses critiques virulentes de Senghor. Pour moi, Senghor était d'abord un très grand poète. Le poème « Femme nue, femme noire » m'avait enseigné l'orgueil de ce que j'étais. C'était l'ami-frère d'Aimé Césaire, le cofondateur de la Négritude. À son endroit, j'ai toujours eu cette attitude ambivalente. Je n'ai jamais dénoncé sa politique d'excessive francophilie comme j'aurais dû le faire.

Une lettre de Jean Prophète m'introduisit auprès de Roger Dorsinville. Il avait été ambassadeur d'Haïti au Liberia avant que les crimes de François Duvalier ne le forcent d'abandonner son poste. Dès lors, il avait demandé l'asile politique au Sénégal et se consacrait à la littérature. Après le grand train qu'il avait mené, il vivait modestement dans une petite SICAP de la banlieue de Dakar. Entre nous, l'affection flamba aussitôt. Roger fut le père que je n'avais pas eu en quelque sorte. Quelle que soit l'heure à laquelle j'arrivais chez lui, je le trouvais derrière sa machine à écrire à noircir des pages et des pages. Je m'émerveillais de cette rage d'écrire qui bientôt, je ne le savais pas encore, allait me posséder moi-même. Je me servais un bol de café, je m'asseyais dans un fauteuil aux coussins élimés et j'attendais qu'il veuille bien s'occuper de moi.

C'est chez Roger Dorsinville que je fis la connaissance de l'importante colonie d'exilés haïtiens dont le grand poète Jean Brière, tellement courtois et affable. Dans cette compagnie j'appris à faire le parallèle entre le sort d'Haïti et celui des pays africains. Ils souffraient des mêmes maux : incurie et tyrannie de leurs dirigeants qui ne se préoccupaient pas du sort de leurs peuples. Corruption généralisée de la société. Ingérence des pays occidentaux qui n'avaient que leurs propres intérêts à cœur. Parfois, j'étais tentée de m'ouvrir à Roger des douloureux évènements qui avaient eu tellement d'importance dans ma vie. Avait-il entendu parler du journaliste Jean Dominique ? Savait-il si François

Duvalier avait un fils naturel ? Que faisait ce dernier ? Exerçait-il des responsabilités ? En un mot, avait-il les mains sales ? À chaque fois, le caractère rocambolesque de cette confession me retenait.

À Dakar, je revis Anne Arundel qui commençait de perdre la tête. Maigre à faire peur, la peau sur les os, les yeux fiévreux, elle débitait encore et encore la même théorie abracadabrante. Selon elle, Sékou Touré aurait été jaloux des talents de poète de Néné Khaly et l'aurait fait battre à mort par ses geôliers. Ceux-ci auraient ensuite jeté son corps à la fosse commune.

« Comment sais-tu cela ? lui demandai-je.

— D'après le témoignage d'un des geôliers qui s'est repenti et s'est réfugié à Ziguinchor en Casamance. »

Je dus avoir l'air incrédule, car elle me proposa :

« Veux-tu venir le rencontrer à Ziguinchor avec moi ? »

En fin de compte, nous fîmes mille projets, mais n'allâmes jamais à Ziguinchor et je ne pus jamais rencontrer ce « geôlier repenti ».

Le 24 mars 1963, j'accouchai sans problèmes à l'hôpital Le Dantec d'une troisième fille délicate et pâlotte, que je prénommai Leïla. À cause des pénuries et de la mauvaise alimentation de Conakry mes seins demeurèrent vides. On dut la mettre au biberon. Leïla est la seule de mes enfants que je n'ai pas allaitée. Aussi j'ai dû lutter constamment contre l'impression qu'elle m'échappait.

Cependant, le problème auquel nous revenions inlassablement, Eddy et moi, quand j'étais délivrée de mes innombrables tâches et qu'enfin les enfants dormaient, était celui de mon avenir. Quitter Condé ? Soit ! Eddy reconnaissait volontiers que ce mariage était désastreux. Mais alors ne ferais-je pas mieux, suggérait Eddy, de retourner en Guadeloupe ? C'est un triste fait que je n'y avais plus de famille pour m'aider. Néanmoins, la Guadeloupe étant un département d'outre-mer, le système social français se mettrait en branle pour moi. Je m'obstinais et je maintenais que je voulais rester en Afrique.

« Pourquoi ? me demandait Eddy. Qu'est-ce que tu espères ? »

Je ne savais m'expliquer.

Ce fut à peu près la même question que me posa Arlette Quenum, une ancienne camarade de classe. En ces temps où tellement d'Antillaises se mariaient à des Africains, elle avait épousé un Béninois, professeur de médecine, dont elle vivait séparée avec ses deux petites filles.

« Qu'attends-tu pour rentrer en Guadeloupe ? me demanda-t-elle abruptement. Tu n'as plus tes parents, mais tu as un pays. Tu sais bien que tu ne seras jamais acceptée par les Africains. »

Je me lançai dans un discours confus. Depuis la mort de ma mère, la Guadeloupe ne signifiait plus rien pour moi. Je me sentais libre d'explorer l'Ailleurs. Pour l'heure, quelque chose me retenait en Afrique. J'avais la certitude que cette terre pouvait m'offrir des richesses essentielles. Lesquelles ? Arlette m'écouta patiemment, puis secoua la tête :

« Tu veux rester en Afrique ? Restes-y ! Avec l'intelligence que tu as, tu ne fais que des conneries. »

Cette dernière phrase s'imprima dans mon esprit de manière indélébile. Aujourd'hui encore, elle brûle ma mémoire. Je la tourne et la retourne dans mon souvenir. Si je n'ai pas fait que des « conneries », comme m'en accusait Arlette (et bien d'autres), n'ai-je pas accumulé les décisions et les choix hasardeux, poursuivi avec obstination des rêves et des fantasmes personnels ? Aussi, n'ai-je pas fait souffrir les miens ? Mes enfants surtout, dont j'ai toujours cru avoir l'intérêt à cœur ?

« Partir. Mon cœur bruissait de générosités emphatiques »

Aimé Césaire

Mon nouveau bébé dans les bras, je retournai à Conakry et je repris dare-dare mes cours à Bellevue. Je mettais désormais moins d'enthousiasme à travailler avec Jean Prophète. J'étais absorbée par une nouvelle tâche. Secrètement, je cherchais du travail. J'épluchais tous les journaux que recevait le Centre de Documentation du collège. J'écrivis des centaines de lettres de candidature. Aux organisations internationales, aux institutions de recherche africaines les plus diverses. Vu la pauvreté de mon CV de l'époque, cette correspondance resta sans réponse. Je rabaissai mes prétentions et m'adressai aux lycées et collèges des grandes villes d'Afrique. Je crois n'avoir reçu qu'une seule offre d'un centre d'éducation expérimentale situé à Bobo Dioulasso dans l'ancienne Haute-Volta. Après bien des tergiversations, j'eus le bon sens de ne pas lui donner de suite. Je ne me décourageais pas, convaincue que la chance finirait par me sourire. Et c'est ce qui se produisit. Un jour, je reçus un télégramme qui portait ce seul mot :

« Venez ! »

Ce télégramme émanait d'Édouard Helman, vrai nom de l'écrivain Yves Bénot, futur auteur des remarquables ouvrages *Idéologies des Indépendances africaines, Diderot, de l'athéisme à l'anticolonialisme* et traducteur du *Ghana de Nkrumah* de Samuel Ikoku.

Il avait été un des rares intellectuels à dénoncer ouvertement le « complot des enseignants » et à claquer la porte de la Guinée où, disait-il, la révolution avait été trahie. Du temps qu'il enseignait à Donka, il habitait lui aussi la résidence Boulbinet. Certains chuchotaient qu'il était homosexuel. En tout cas, sa vie privée était mystérieuse et son caractère, réputé difficile, voire intraitable. Comme Yolande, il ramassait quotidiennement son souffle sur ma galerie avant de grimper chez lui au huitième. Il est à l'origine de mon goût pour Thomas Hardy. Un jour, il oublia un ouvrage chez moi et redescendit précipitamment le chercher.

« J'étais plongé là-dedans ! m'expliqua-t-il. C'est le plus beau livre que j'aie jamais lu. »

Il s'agissait de *Jude l'Obscur* qu'il me prêta. Cet univers désespéré s'accordait à merveille avec mon humeur. Bientôt, je lus tous les autres ouvrages de ce romancier.

Déjà, quand je terminais ma licence de lettres modernes au sanatorium de Vence, j'avais étudié avec passion la littérature anglaise. J'adorais les poètes, Byron, Shelley, Keats surtout et Wordsworth. Cependant, on pourrait dire que la fascination exercée sur moi par la littérature anglaise était bien antérieure. Quand j'avais environ quinze ans, une amie de ma mère m'avait offert le roman d'Emily Brontë, *Wuthering Heights*. Je me rappelle l'avoir dévoré un week-end d'hivernage pluvieux enfermée dans ma chambre. Ce récit de passions violentes, amour plus fort que la mort, vengeance, haine, me transporta. Son souvenir m'obséda. Si des années plus tard je me permis d'écrire *La Migration des cœurs*, adaptation antillaise de ce chef-d'œuvre, ce n'est pas sans beaucoup d'hésitation. Mais, en fin de compte, je fus enhardie par l'exemple de Jean Rhys. Dans *Wide Sargasso Sea* elle avait cannibalisé les personnages de *Jane Eyre* de Charlotte Brontë, Rochester et Bertha Mason. Il est étrange de souligner les liens qui unissent des écrivaines antillaises à des Anglaises vivant dans un presbytère isolé deux siècles plus tôt. Ma fascination ne se limite pas à l'ouvrage d'Emily Brontë. Toute mon œuvre fourmille de références à des romans anglais. Par exemple, le docteur Jean Pinceau dans *Célanire Cou-Coupé*, qui recoud la gorge tranchée de l'enfant trouvée sur un tas d'ordures, est un avatar du Frankenstein de Mary Shelley. Le double personnage de Kassem et de Ramzi dans *Les Belles Ténébreuses* est une version de Dr Jekyll et M. Hyde de Robert Louis Stevenson.

Le télégramme inespéré d'Helman me galvanisa. En même temps, j'éprouvais une sourde inquiétude. Je ne savais pas grand-chose du Ghana. Je ne parlais pas l'anglais. En outre, comment paierais-je cinq billets d'avion jusqu'à Accra ? Je n'avais pas un centime d'économies et hormis les commerçants malinkés, je ne connaissais personne à qui emprunter de l'argent. Ne me fallait-il pas un pécule, même modeste, avant de me lancer dans pareille aventure ? Par ailleurs, le télégramme d'Helman n'était-il pas trop laconique ? N'aurait-il pas dû m'expliquer quel genre d'emploi m'attendait ? Après avoir ruminé ces questions, j'en vins à la conclusion que l'essentiel était de quitter la Guinée. Une fois dehors, j'aviserais. Au cours d'une de mes nuits d'insomnie, il me vint une idée si méprisable que j'hésite à l'avouer. Il fallait que je feigne de mettre Condé dans la confidence. Car, seule, je n'arriverais pas à mes fins. Ce stratagème m'était sans doute dicté par la faiblesse, la vulnérabilité, la peur de l'avenir. Il n'en révèle pas moins mon égoïsme foncier et surtout le profond mépris dans lequel je tenais Condé que je n'avais aucun scrupule à instrumentaliser. J'allai donc le réveiller dans la chambre qu'il partageait avec Denis depuis mon retour du Sénégal, car nous nous méfiions de nos corps. Ils pouvaient nous surprendre alors que nous ne pouvions courir le risque de mettre au monde un cinquième enfant. Nous nous assîmes sur la terrasse. Je me souviens que la lune était haute et l'air chargé d'une douce humidité pendant que je débitais ma fable. Pour leur bien, expliquais-je, il fallait soustraire les enfants à l'existence sans avenir qu'ils menaient. J'avais trouvé un excellent emploi au Ghana. Je m'y rendrais en éclaireur avec eux. Sitôt que nous serions installés, je l'en informerais et il viendrait nous rejoindre. Il insista gravement :

« Veux-tu vraiment que je vienne vous rejoindre ?

— Oui ! Je le veux !

— Cela signifie-t-il que tu m'aimes encore ? »

Sa voix était tremblante. À ma grande honte, je parvins à verser quelques larmes et à trouver des accents de sincérité pour l'en persuader. Ne comprenait-il pas que c'était cette existence étriquée et ce pays délétère qui nous séparaient l'un de l'autre ?

À dater de ce moment, il prit les choses en main avec une autorité qui me confondit. Il me recommanda de ne rien confier de mes projets à long terme à Sékou

Kaba. Celui-ci ne permettrait pas que je quitte définitivement la Guinée.

« Pour lui, tu es le ciel et la terre ! commenta-t-il. Je sais que Gnalengbè a été jalouse ! »

Il suffirait de le persuader que mes grossesses à répétition m'avaient déprimée et que j'avais besoin de me ressourcer dans mon pays natal. Bien que titulaire d'un contrat local qui n'impliquait aucun avantage, il ne serait pas impossible d'obtenir un congé pour des raisons de santé.

Comme nous nous y attendions, Sékou Kaba mordit à l'hameçon et fit l'impossible pour me satisfaire. Pourtant, sur un point, il n'obtint aucun résultat. Le contrôle des changes étant très strict, il fallait pour percevoir mon misérable salaire en devises que la Banque Centrale de la Guinée m'accorde une lettre de crédit payable en francs français, ce qu'elle refusa pour des raisons que j'ai oubliées. D'interminables palabres avec toutes sortes de responsables à la banque n'y changèrent rien. Comme je ne pouvais partir sans un sou avec quatre enfants, je me demandais si mes projets n'allaient pas être réduits à néant. Les commerçants malinkés à qui nous devions des sommes colossales ne voulaient plus rien nous prêter. À force de supplications, Condé parvint à arracher cinquante dollars à l'un d'entre eux. Il fallut se contenter de cette misérable somme. À l'escale de Dakar, je taperais une fois de plus Eddy.

Dans une petite communauté, il est impossible de garder un secret. Je ne sais comment la nouvelle de mon départ du pays fit le tour de Camayenne. Les réactions ne furent pas celles qu'on aurait pu attendre. Des gens qui s'étaient ouvertement moqués de moi quelque temps auparavant, ou qui ne m'avaient jamais adressé la parole, m'abordaient dans la rue et me suppliaient avec des trémolos dans la voix de ne pas quitter Conakry.

« Où tu vas ? Où emmènes-tu nos enfants ? C'est votre pays ici. »

D'autres me faisaient parvenir des sauces feuille, du mafé, des gâteaux. J'étais confondue. Je ne comprenais rien à cette volte-face. À ceux qui m'interrogeaient, je jurais que mon absence serait de courte durée : quelques mois dans mon pays d'origine. Je n'avouai la vérité qu'à Yolande et Louis. Tristement, un soir, je montai les dix étages de la résidence Boulbinet qui menaient à leur appartement pour leur présenter mes adieux. Ils m'écoutèrent bouche bée.

« Helman ? s'écria-t-elle. Mais c'est un fou.

— Vous le connaissez bien ? demanda Louis plus posément. Il a en effet la réputation d'être un instable. »

Je bredouillai que je ne pouvais plus vivre en Guinée.

« Pourquoi ? » s'exclamèrent-ils avec ensemble.

À cause d'une coupure d'électricité, nous nous éclairions au moyen d'une lampe à acétylène. Nous buvions de l'ersatz de café dans lequel les cubes de sucre russe n'arrivaient pas à fondre. Les galettes tchèques à la menthe de notre frugal goûter étaient pareilles à de petits cailloux. Mais, ce n'était pas là le pire. Chacun de nous en venait à craindre pour sa vie. Les individus en apparence les plus inoffensifs disparaissaient, étaient jetés en prison sans raison apparente. Et ils me demandaient naïvement pourquoi je ne voulais plus vivre en Guinée ? Comme je tentais d'élaborer une réponse, Yolande reprit :

« Réfléchissez bien à ce que vous faites avec votre trâlée d'enfants ! »

Louis tirait pensivement sur sa pipe, pareil aux portraits de son royal aïeul qui figuraient dans les livres d'histoire.

« C'est une erreur de croire, fit-il, que le peuple est *naturellement* prêt pour la révolution. Il est lâche, le peuple, matérialiste, égoïste. Il faut le forcer et c'est ce que Sékou a été obligé de faire.

— Le forcer ! m'exclamai-je. Est-ce que cela veut dire qu'il faut l'emprisonner, le torturer, le tuer ? »

Il me regarda comme une enfant déraisonnable.

« Vous exagérez ! » sourit-il.

Non ! Je n'exagérais pas. Les ONG estiment à 50 000 le nombre des morts au camp Boiro, autant à celui de Kindia, sans compter les cadavres hâtivement jetés dans des fosses communes à travers le pays.

Yolande et moi pleurâmes de nous séparer. Une vingtaine d'années plus tard, un congrès d'histoire africaine nous réunit. Elle avait épousé Louis. Ils avaient un fils et vivaient à Cotonou.

Quelques jours plus tard, comme j'étais en voiture avec lui, Sékou Kaba me dit avec tristesse :

« Intuition féminine ! Gnalengbè pense que nous avons tort de te laisser partir avec tes enfants. Tu ne reviendras jamais en Guinée. »

Je n'eus pas le cœur de mentir à quelqu'un que j'aimais tant et qui s'était tellement soucié de mon bien-être. Je ne répondis rien et nous continuâmes la route sans parler, tous deux plongés dans une profonde tristesse.

Je devais le revoir, des années plus tard, à Abidjan où ma fille Sylvie-Anne habitait avec son mari, Cheikh

Sarr. Considéré comme un suppôt du régime guinéen et de ce fait mal vu, il avait dû quitter le pays. Gnalengbè était restée à Kankan. Seul, presque aveugle, malade, il végétait grâce aux subsides que lui envoyaient ses filles réfugiées aux USA. Alors que le monde entier était au courant des crimes de Sékou Touré, il lui avait gardé son entière admiration. Ses illusions intactes, il répétait douloureusement :

« Sékou Touré n'a jamais rien fait de mal. J'ose dire que c'était un nationaliste parfait à qui on ne peut rien reprocher. Malheureusement, il était entouré d'arrivistes, d'hommes sans idéal. »

Le 22 novembre 1963, alors que dans la consternation mondiale, J. F. Kennedy était assassiné à Dallas, je pris l'avion d'Air Guinée pour me rendre à Dakar, première escale de mon voyage. En larmes. J'avais déjà beaucoup pleuré durant mes vingt-sept années d'existence, mais ce jour-là, je dépassai les bornes. De me voir pareillement en pleurs, les enfants sanglotaient. Condé tentait vainement de les consoler. Muets et désolés, Sékou et Gnalengbè me passaient des mouchoirs en papier vert et mentholé, spécialité de la Yougoslavie que l'on vendait dans les magasins d'État.

Pourquoi pleurais-je ?

Parce que je quittais cette infortunée terre à laquelle je m'étais si profondément attachée et vers laquelle je ne devais jamais revenir, je le sentais. Plus que les discours théoriques de mes amis, c'est elle qui m'avait enseigné le souci du peuple et la compassion. J'avais compris que rien ne pèse plus lourd que la souffrance d'un enfant. Bref, elle m'avait pénétrée d'une leçon que je ne devais jamais oublier : ne pas prendre en compte sa seule infortune, mais se soucier de celles du plus grand nombre.

J'y avais perdu des amis très chers. J'étais en passe de devenir un être humain fort différent de celui que j'avais été. C'en était radicalement fini de l'héritière des Grands Nègres. Physiquement, ces années nous avaient sévèrement marqués les enfants et moi. À l'exception d'Aïcha, belle et dodue, nous étions décharnés. Leïla était particulièrement chétive et maussade. Les cheveux de Denis, atteint de la pelade, tombaient par plaques. Les gencives et les lèvres de Sylvie se creusaient d'aphtes qui lui arrachaient des larmes quand elle mangeait.

En outre, étant donné la faiblesse de mes moyens matériels, nous étions vêtus d'habits que je confectionnais moi-même, y compris les shorts de Denis. Je les taillais d'après les patrons que me prêtait Mariette Matima, une Guadeloupéenne qui enseignait la couture au collège. Vraiment, nous formions un triste lot.

Il me restait à vivre la plus étonnante des surprises.

L'avion n'avait pas sitôt décollé qu'une femme corpulente, richement vêtue et couverte de bijoux, sortit de la cabine des premières. Elle s'approcha de moi. C'était une importante commerçante soussoue, une certaine Mme Cissé que j'avais, à maintes reprises, aperçue dans le quartier au volant de sa Mercedes 280 SL. Elle me fourra dans la main une épaisse liasse de dollars :

« Allah vous garde ! murmura-t-elle. Prenez cela pour vous et pour vos enfants. »

Et c'est ainsi que nantie de la stupéfiante aumône d'une inconnue, j'entamai ma troisième aventure africaine.

La nouvelle de l'assassinat de J. F. Kennedy avait plongé Dakar dans le deuil. Sur les édifices publics, les drapeaux étaient en berne. Le président, Léopold Sédar Senghor, avait décrété un deuil national de trois jours. Mais ce qui me frappa le plus, c'est que cela ne s'arrêtait pas à la classe gouvernementale. J'étais le témoin d'un véritable chagrin populaire. Dans la cour où habitait Eddy, les locataires s'agglutinaient chez les chanceux qui possédaient la télévision pour pleurer à l'envi sur l'image de Jackie, foudroyée par le malheur dans son tailleur rose.

« Parfois, Dieu ne sait pas ce qu'il fait ! » psalmodiaient-ils.

Je demeurais en dehors de cette houle d'émotion. J'étais, je le répète, une marxiste, aux vues peut-être étroites. Pour moi, J.F.K. n'était qu'un Américain capitaliste qui, en avril 1961, avait dirigé contre un de mes héros, Fidel Castro, la triste intervention de la baie des Cochons. En fait, la détresse générale gâchait des instants où j'aurais dû savourer la joie de quitter l'enfer où j'avais dépéri pendant des années, courir le long de la mer, retrouver le goût oublié de la liberté.

Nous fûmes invités à dîner un soir chez Mme Vieyra. Avant de partir, Eddy, qui connaissait mes opinions politiques, me pria de me taire et de ne rien dire qui puisse choquer. Je le lui promis, mais ne tins pas parole. Je me rappelle que le dîner se termina par une bruyante joute verbale avec un Béninois nommé Soglo qui devait devenir président de la République de son pays. À ce moment-là, il travaillait plus modestement comme fonctionnaire international à Washington D.C. pour le compte de la Banque Mondiale. Il me sembla extrêmement arrogant, parlant avec suffisance et désignant la région dont il avait la charge économique par l'expression « mes pays ».

J'ignorais qu'avec celui de la liberté, je commençais une autre forme d'apprentissage. Apprendre à exprimer mes idées.

II

« Woman is the nigger of the world »

John Lennon

À l'aéroport d'Accra où j'arrivai après une semaine passée à Dakar auprès d'Eddy, Helman m'attendait. Il était vêtu d'une chemise hawaïenne à grandes fleurs qui m'étonna, car on ne portait pas ce genre d'habits vacanciers à Conakry. Ses yeux étaient abrités par d'énormes lunettes noires carrées qu'il ôta pour mieux examiner la petite troupe qui s'avançait vers lui.

« Pourquoi avez-vous emmené tous ces enfants avec vous ? bégaya-t-il.

— Ce sont les miens ! » répondis-je, posant à terre Leïla qui ne marchait pas encore.

Son visage s'affaissa.

Nous nous entassâmes dans sa minuscule voiture et il prit la direction du centre-ville. Au bout d'une demi-heure, dans un tohu-bohu de klaxons et un désordre de véhicules, nous nous arrêtâmes devant une modeste résidence, pompeusement baptisée « Résidence Simon Bolivar » et qui était, semble-t-il, réservée aux hôtes du gouvernement. Au rez-de-chaussée, nous entrâmes dans un minuscule studio affecté d'une kitchenette encore plus minuscule. Visiblement, Helman n'attendait que moi. Sans prendre la peine de s'asseoir, il me serra la main, la secouant vigoureusement de bas en haut :

« Je viendrai vous chercher demain à neuf heures pour vous emmener à Flagstaff House.

— Flagstaff House ?

— C'est le siège du gouvernement, expliqua-t-il. Pour votre candidature. »

Il s'en alla. Il était onze heures et demie du matin. Il ne nous invitait pas à déjeuner, ni même à prendre un verre. Faisait-il partie de l'engeance qui hait les enfants ? Qu'allions-nous faire toute la journée ? De ma vie pourtant riche en moments de solitude, je ne m'étais jamais sentie aussi seule. Prenant Leïla dans mes bras, je poussai les trois autres enfants devant moi et nous sortîmes. Je n'avais jamais vu de ville comme Accra. Colorée. Populeuse. Bruyante. Là, point de mendiants ni d'estropiés, point de femmes en haillons faisant la queue aux fontaines ni de vieillards trônant dans leurs fauteuils. Des haut-parleurs plantés le long des trottoirs glapissaient une musique frénétique qui je l'appris se nommait « high life ». Dans les innombrables bars d'où s'échappaient également des sons furieux, la télévision aboyait sans que personne ne lui prête attention. Des hommes, drapés dans des costumes semblables à des toges romaines, des femmes coiffées de volumineux mouchoirs de tête, bavardaient et hurlaient de rire en ingurgitant force bières. C'était un dimanche. Des foules sortant des temples emplissaient les rues, déjà encombrées de toutes sortes de véhicules, de chariots de vendeurs ambulants proposant à grands cris des billets de loterie, des jouets, des journaux, de petits livres en langue nationale, des objets incongrus et divers. Je butai sur une immense esplanade noire de promeneurs. Elle longeait une plage de galets bruns ourlant une mer pesante et grise qui me rappela la mer à Grand Bassam. Sur la plage, des enfants couraient nus, le sexe à l'air, des jeunes s'enlaçaient et se bécotaient sans vergogne tandis qu'un peu plus loin, des couples plus âgés se lutinaient, s'embrassaient ouvertement. Après la pudeur musulmane de Conakry, Accra me fit l'effet de Sodome ou de Gomorrhe. Je n'ai jamais pu dissocier cette bourgade, assez ordinaire en somme, d'images de vice et d'extrême liberté. Au mitan de l'esplanade s'élevait un curieux monument. Une sorte d'arche édifiée en l'honneur de Marcus Garvey. Je savais l'admiration que Kwame Nkrumah portait à ce dernier, âme au début du XXe siècle du mouvement américain de retour des anciens esclaves en Afrique. J'expliquai à Denis qui commençait d'être curieux ce qu'était la « Black Star Line », compagnie de navigation créée par Marcus Garvey pour assurer leur rapatriement.

Nous déjeunâmes de frites de plantain et de sortes de beignets fourrés à la viande que les enfants apprécièrent vivement.

Le lendemain, avant la venue de Helman, une jeune et jolie femme noire frappa à ma porte, deux petits métis entre les jambes. Elle s'appelait Lina et m'avait aperçue la veille. Elle aussi venait d'arriver au Ghana avec son fils et sa fille et était une réfugiée politique des îles du Cap-Vert.

« Avez-vous entendu parler d'Hamilcar Cabral ? demandai-je assez sottement.

— C'est notre dieu ! » me répondit-elle.

Elle allait devenir une de mes plus fidèles amies et m'introduisit dans le cercle fermé des militants africains de langue portugaise qui gravitaient autour de la famille d'Agostino Neto vivant à Accra, alors qu'il courait le monde à la recherche d'alliances.

« Ne vous inquiétez pas ! m'assura-t-elle, prenant Leïla d'une main de maître. J'ai l'habitude. Je vais les emmener au Centre Marcus Garvey, un centre aéré pour les enfants des *freedom fighters*. »

Freedom Fighters ! C'était la première fois que j'entendais cette expression qui désignait les innombrables réfugiés politiques qu'accueillait le Ghana : militants qui préparaient la nécessaire révolution socialiste qui seule mettrait fin à l'étau du néocolonialisme qui enserrait l'Afrique. Comme convenu, Helman arriva à l'heure dite et m'emmena à Flagstaff House. Le siège du gouvernement était situé au faîte d'un morne. C'était un énorme dédale de bureaux, de cours, de corridors. Assis sous une immense photographie en couleur de Kwame Nkrumah, Kweku Boateng, fonctionnaire tatillon et maussade, m'infligea un rude examen de passage sur ma formation politique et mes réalisations en Guinée. Puisque je ne pouvais rien présenter à mon actif, il exigea qu'Helman soit mon « garant révolutionnaire ». Il posa devant lui une masse de formulaires que l'autre dut signer visiblement sans enthousiasme.

« Quand commencerai-je à travailler ? lui demandai-je, une fois que nous fûmes dehors.

— Probablement en janvier, marmonna-t-il. Votre dossier passera en commission dès le début de l'année. »

Janvier ? Pourrais-je tenir jusque-là ? pensai-je, soupesant mentalement mon avoir.

« Et quel sera mon emploi ? » insistai-je.

Il eut un geste vague :

« Cela ne dépend pas de moi. »

Déçue de l'imprécision de ses réponses, je n'ouvris plus la bouche, ne trouvant d'ailleurs rien à lui dire, et nous remontâmes en voiture. Brusquement, il me proposa de me rendre au lieu de son travail afin qu'il me présente à ses collègues.

« Nous formons une équipe formidable ! se vanta-t-il.

— Où travaillez-vous ?

— À la rédaction de *The Spark* ! » continua-t-il avec la même suffisance.

Comme mon silence témoignait de ma totale ignorance, il m'expliqua d'un ton impatient :

« *L'Étincelle*, si vous préférez. C'est un important journal d'information bilingue, cher au président Nkrumah. »

Par un dédale de rues, il me conduisit jusqu'à un petit immeuble ultramoderne qui s'élevait non loin du centre-ville. Nous grimpâmes quatre étages et nous entrâmes dans une enfilade de bureaux luxueux. Là, il me présenta à ses collègues, en majorité des Africains originaires des pays les plus divers, mais aussi des Anglais et des Américains. L'un d'entre eux, un Béninois tiré à quatre épingles, le col serré par un nœud papillon à pois rouges, se présenta mystérieusement sous le nom d'« El Duce ».

Dès le départ, ma vie à Accra fut difficile. Dans la Guinée d'où je venais, vu la difficulté de résoudre les problèmes de survie les plus élémentaires, les hommes n'avaient guère le loisir d'être des loups pour les femmes. Ils se comportaient plutôt à l'image de frères liés par la solidarité et la compassion. Au Ghana, c'était tout autre chose. Brusquement, je me découvrais proie. J'étais seule, jeune, vulnérable. Les mâles qui m'approchaient ne semblaient attendre et désirer de moi qu'une chose. Dans les rues, ils dévisageaient les femmes, les soupesaient, les interpellaient. Or, vu les conditions de mon existence jusqu'alors, je ne connaissais rien aux jeux de l'amour et du sexe. J'ignorais l'art de l'esquive, de la feinte et de la parade.

J'étais une bleue. Deux ou trois jours après ma visite à Flagstaff House, alors que mes enfants étaient partis pour la journée au « Centre Marcus Garvey » et que, ô douceur oubliée, je sirotais une tasse de vrai café, la sonnerie du téléphone vrilla l'air. De sa voix inimitable et peu amène, Kweku Boateng me signifia que je devais évacuer dans les vingt-quatre heures la résidence où j'étais logée. Quant à ma candidature, il n'était plus question de lui donner de suite.

« Pourquoi ? parvins-je à bégayer.

— M. Helman a retiré sa garantie révolutionnaire », expliqua-t-il gaiement.

Là-dessus, il raccrocha. Je restai abasourdie. Pourquoi ? Qu'avais-je fait ? Est-ce que cela signifiait que je devais retourner à Conakry ? Ces pensées causèrent une telle commotion que je tombai à terre, ma tête résonnant sur le plancher du studio. Je souhaitai mourir. Ce n'est pas là une figure de style, une de ces expressions qui émaillent les romans. Non. Je souhaitai mourir concrètement. En finir avec cette vie saugrenue, tellement dénuée de charme. Devenir un cadavre insensible qu'on enferme entre quatre planches et qu'on jette au fin fond d'un trou. J'ignore combien de temps je restai étalée à terre. À un moment, la porte s'ouvrit et El Duce entra. Je me rappelle qu'il empestait un parfum Vétiver et portait cette fois un nœud papillon rose. Quand j'avais fait sa connaissance la veille, il m'avait en effet promis sa visite. Que venait-il chercher chez moi à une heure si matinale ?

Je ne me posai pas la question, je n'en avais pas la force.

« Qu'est-ce qui se passe ? » s'exclama-t-il, butant sur moi, allongée par terre.

Il me releva, me guida vers un divan, alla remplir un verre d'eau dans la cuisine, me fit boire. À demi pâmée contre son épaule, je racontai en sanglotant ce qui venait de m'arriver. Tout en m'écoutant, il répétait tendrement :

« Ne crains rien, mon petit. Je vais te tirer de là. »

Il me couvrait aussi de baisers contre lesquels je ne me défendais pas. Soudain, il me renversa en arrière et, me plaquant sur les coussins, me posséda proprement.

On imagine toujours que le viol s'accompagne de violence. On se représente le violeur comme une brute menaçante, armée d'un revolver ou d'une dangereuse arme blanche. Ce n'est pas toujours le cas. Tout peut se produire plus subtilement. Je soutiens que je fus violée ce matin-là. El Duce s'en défendit toujours, affirmant que je n'avais aucunement tenté de l'arrêter (j'en étais bien incapable) et qu'il m'avait simplement offert la consolation dont j'avais grandement besoin en un moment pareil.

Ce qui n'est pas niable, c'est qu'il tint parole et « me tira de là », ainsi qu'il l'avait promis. Le même soir, il vint me chercher dans sa luxueuse Mercedes gris métallisé, car il faisait partie de la tribu des Wabenza et me conduisit chez Bankole Akpata. Bankole Akpata était un réfugié politique nigérian, ami personnel de Kwame Nkrumah, petit homme au visage débonnaire avec lequel je me sentis tout de suite en sympathie. Divorcé, il élevait seul son fils Akboyefo qui avait l'âge de Denis. Si, par la suite, il me fit assidûment la cour, ce fut parce qu'homme, il s'y sentait obligé et il ne s'offusqua jamais de mes refus. Il m'écouta avec attention et interrogea d'un ton perplexe :

« Pourquoi a-t-il agi ainsi ? Helman est un homme remarquable que le président apprécie beaucoup. »

Je ne sus que répondre. Je mis longtemps à comprendre cet épisode. Je revis Helman à Paris après notre retour du Ghana. Il semblait me tenir en haute estime et m'invita même à parler des écrivains de la Négritude dans le lointain collège de banlieue où il enseignait. Je ne lui posai pas de question concernant son comportement à Accra. Comme Bankole Akpata s'envolait le lendemain pour des vacances bien méritées, disait-il, il me laissa la jouissance de son immense appartement où ne manquaient ni salle de télévision, ni salle de jeux, ni salon de lecture. Il me laissa aussi la jouissance de son cuisinier, ce qui fait que pendant un mois, les enfants et moi mangeâmes de la délicieuse nourriture ghanéenne et nigériane. Nous découvrîmes le mafé aux crabes, la « palaver sauce », les poissons d'eau douce farcis aux feuilles amères.

Ce séjour fut étrange. Les journées étaient calmes. Pendant que les enfants se divertissaient au centre aéré, enfouie dans un fauteuil, je regardais la télévision. Elle n'offrait guère de programmes intéressants, films ou documentaires. Seules des cérémonies traditionnelles ou d'interminables harangues de Kwame Nkrumah. N'empêche, je découvrais un medium qui déjà me fascinait. Ensuite, armée d'un dictionnaire Harraps, je passais dans le salon de lecture où je m'initiais à la culture de l'Afrique anglophone, jusqu'alors parfaitement inconnue, prenant des notes sur de grands cahiers noirs. Je dévorai avec passion l'œuvre du Sierra-Léonais

Edmond Wilmot Blyden, stupéfiée que, dès 1872, il ait défendu la thèse de « l'Afrique aux Africains ». Je me familiarisai avec les tribulations de Louis Hunkarin, un Dahoméen qui avait passé le plus clair de sa vie dans les geôles françaises. Bien avant mes chers poètes de la Négritude, le Sénégalais Lamine Senghor avait poussé le grand cri nègre. J'appris les noms des précurseurs du mouvement du Panafricanisme, le Jamaïquain George Padmore surtout qui avait tant influencé Kwame Nkrumah. Telle mon héroïne Véronica dans *Heremakhonon*, je me plongeai dans les écrits de ce dernier, en particulier dans *Consciencism* (1964), pièce maîtresse de sa théorie politique. Je dois avouer que celle-ci ne m'impressionna guère. À mon avis, Kwame Nkrumah ne pouvait être tenu ni pour un fin philosophe ni pour un profond politologue. Tout au plus me parut-il un astucieux jongleur de formules chocs. Celles-ci me semblèrent frappantes :

« Power corrupts. Absolute power corrupts absolutely. »
« Imperialism, last stage of capitalism. »
« Seek ye first the political kingdom… »

C'est aussi chez Bankole que je lus un ouvrage radicalement différent. En 1954, sur la proposition de George Padmore, devenu son conseiller politique, Kwame Nkrumah, alors Premier ministre d'un pays qui s'appelait encore la « Gold Coast », invita l'écrivain afro-américain Richard Wright à un voyage d'études : *Black Power* (Puissance Noire) est l'ouvrage complexe et ambigu qui résulta de ce séjour. Une fois le livre refermé, je me posai une question que les commentaires de la mère de Condé, quittant précipitamment notre maison de Conakry, m'avaient déjà mise à l'esprit. Au fond, au fin fond de l'esprit de « vieux colonisés » comme les Caribéens et les Noirs américains, quoiqu'ils s'en défendent, est-ce qu'il ne traînait pas une bonne dose d'arrogance vis-à-vis de l'Afrique dont ils ne parvenaient jamais à se défaire ? Voire un sentiment de supériorité ? J'en avais douté autrefois. Ne fallait-il pas à présent se l'avouer ? L'éducation ne peut se renier entièrement. N'est-ce pas elle qui troublait vision et jugements, qui rendait toute appréhension « objective » malaisée ? J'avais été furieuse quand les camarades de classe de Denis m'avaient traitée de « toubabesse ». Ne l'étais-je pas en partie ? Richard Wright et moi ne restions-nous pas quelque part « aliénés » ?

Quand le soir tombait, tout changeait. Mes considérations intellectuelles s'arrêtaient net. Je passais le temps à me défendre contre El Duce. Il débarquait à six heures du soir, car il n'était pas question de lui interdire l'accès de l'appartement, Bankole Akpata lui ayant confié le double de toutes ses clés. D'entrée de jeu, il se jetait sur moi. Nous luttions férocement, comme des bêtes dans le plus grand silence pour ne pas alerter les enfants. Qu'on n'aille pas s'imaginer qu'il s'agissait d'un jeu érotique dans lequel j'aurais pris du plaisir. À ces moments-là, je le haïssais. Je souhaitais lui faire mal. Je voulais me venger en faisant couler son sang. Me venger de quoi ? Je ne sais pas. Je ne peux définir ce qu'il incarnait. Le sort qui décidément ne me gâtait pas ? Une fois, ce qui devait arriver arriva. Au bruit des meubles renversés et des objets entrechoqués, Denis sortit, minuscule, de la salle de jeux.

« Que veux-tu ! Va-t'en d'ici ! lui intima sèchement El Duce. Ta maman et moi, nous nous amusons. »

Malgré son jeune âge, Denis ne fut pas dupe. Quand El Duce fut enfin parti, il entra dans ma chambre. Se glissant contre moi, il murmura :

« S'il t'ennuie encore, je le tuerai. »

Inutile de dire que je sanglotai jusqu'au matin.

Mes sentiments pour El Duce furent des plus complexes. Toujours tiré à quatre épingles, il était très beau. J'étais sensible à sa beauté. Pourtant, je ne pouvais supporter l'idée qu'il me touche. Souvent, quand nous avions fini de nous battre, nous sortions. Il m'emmenait dans des house-parties qui constituaient le divertissement par excellence d'Accra. Hommes et femmes ingurgitaient des litres de gin ou de whisky de fabrication locale. Le « high life » beuglait. Peu habituée à ces ambiances survoltées, je ne savais que faire de moi-même. En outre, mon anglais parlé étant alors des plus élémentaires, je ne pouvais soutenir une conversation. C'est grâce à El Duce que je fis la connaissance de Roger et Jean Genoud. Roger était suisse. C'est un des êtres les plus intelligents et les plus cultivés que j'aie jamais côtoyés. Il allait jouer dans ma vie le rôle considérable qu'ont joué certains hommes avec lesquels je n'ai entretenu ni relation amoureuse ni relation physique. Le premier fut Sékou Kaba. J'imagine qu'à travers eux je m'efforçais de retrouver la tendresse, la force et la protection que m'avait dispensées Guito, le frère adoré, si tôt perdu. Jean était une Anglaise, railleuse, pétrie d'humour que j'adorai au premier regard. Roger et Jean se voulaient les patrons des Arts et des Lettres ghanéens. Chez eux, se pressaient la dramaturge enfant gâtée, Ama Ata Aidoo dont la pièce de théâtre *The Dilemma of a Ghost* allait être jouée à l'université de Legon avec le plus vif succès, Kofi Awoonor, Cameron Duodu, Ayi Kwei Armah, pour ne citer que ces écrivains. Ce qui me stupéfiait, c'est que ces intellectuels ne cessaient pas de décocher des flèches contre le régime. Leur principale critique était que la liberté d'expression n'existait pas. Comme en Guinée, le parti unique, The Convention People's Party, faisait des ravages. Y adhéraient des sycophantes et des arrivistes. Je refusais de donner foi à ces propos. Je venais d'arriver à Accra et ne pouvais encore former d'opinion objective.

Comme Roger et Jean souffraient beaucoup de n'avoir pas d'enfants, ils m'enviaient ma nombreuse progéniture.

« C'est trop injuste ! se plaignaient-ils. Qu'avons-nous fait pour être privés ainsi ? »

Ils me proposaient avec le plus grand sérieux d'adopter Aïcha dont ils appréciaient le caractère indépendant.

« Elle n'embrasse jamais personne, ne dit bonjour que si cela lui chante ! » s'extasiait Jean.

El Duce me présenta aussi une de ses innombrables maîtresses, Sally Crawford, une Afro-Américaine dont ultérieurement il eut un fils, Razak. Je devins son amie et séjournai à maintes reprises chez elle dans sa jolie maison d'Oakland en Californie du Nord. Un soir où elle avait trop bu, elle me fit une intéressante révélation. El Duce me taxait fréquemment d'ingratitude.

« En fait, il disait que tu étais une vraie salope ! » éructa-t-elle.

Il se présentait comme mon sauveur. Au bureau du *Spark*, Helman, qui ne lui cachait rien, lui avait avoué la vérité. Il avait pris peur et dans l'après-midi, il était revenu à Flagstaff House annuler la « garantie révolutionnaire » qu'il avait signée à mon intention. Aussi, la date de mon expulsion du Ghana avait été fixée.

El Duce était parvenu à y surseoir en y substituant sa propre « garantie », alors qu'il ne me connaissait pas le moins du monde. Mais, pouvait-il se désintéresser du sort d'une femme noire, seule, avec quatre jeunes enfants ? Ensuite, il avait alerté un de ses puissants amis qui m'avait protégée. De cela, je ne lui tenais nullement gré. Au contraire.

Il n'avait pas parlé de viol. Je n'en fis rien non plus.

Le Ghana, ces années-là, appartenait aux Afro-Américains. Ils y étaient aussi nombreux que les Antillais en Afrique francophone, mais considérablement plus actifs et militants. Fuyant le racisme des USA, ils affluaient vers cette terre qui, ils en avaient la certitude, se métamorphoserait en patrie de l'homme noir. Des écrivains confirmés comme Julian Mayfield côtoyaient des écrivains en devenir comme la très belle Maya Angelou ou des artistes comme Tom Feelings qui, de retour aux USA, dessina en 1974 la remarquable série *The Middle Passage*. Julia, la fille de Richard Wright, tenait salon. W. B. du Bois était mort en 1963, mais il avait laissé ses rêves intacts. Toute une équipe travaillait fiévreusement à la rédaction du projet qu'il avait conçu avec Kwame Nkrumah : l'Encyclopedia Africana. Cependant, les Afro-Américains ne se mêlaient pas aux Ghanéens. Ils se constituaient en caste supérieure, protégés qu'ils étaient par les postes considérables qu'ils occupaient et leurs hauts salaires. Plus j'allais, plus je constatais que la Négritude n'était qu'un grand beau rêve. La couleur ne signifie rien.

C'est chez Sally Crawford que je passai une sinistre nuit de Noël 1963. Autour de moi, les Afro-Américains discutaient de la politique de leur pays.

Ils se réjouissaient parce que Lyndon Johnson qui avait succédé à J.F. Kennedy semblait décidé à mettre fin à la guerre du Vietnam. Tous se plaignaient de l'avancée trop lente des droits civils depuis le magnifique discours de Martin Luther King Jr : *I have a dream.* Une commune nostalgie de leur terre natale les soudait les uns aux autres. Comme à l'habitude, j'avais les mains vides. Pas de pays. Pas de famille. Pour meubler sans doute ce sentiment de vacuité, j'amorçai une liaison avec l'un des Afro-Américains présents : Leslie, véritable Chevalier de la Triste Figure avec ses yeux immenses et désespérés. Peu causant, il faisait très mal l'amour. Je méditais de rompre avec lui sans en avoir le courage. Un après-midi où je venais pour le lui signifier, je trouvai sa porte close. La veille, il était reparti pour Detroit sans prendre la peine de me prévenir. Illogique, j'en fus atrocement blessée. Quelques jours plus tard, il me téléphona d'une voix altérée pour s'excuser : c'était ce départ précipité ou le suicide. J'interrogeai : que s'était-il passé ? Il refusa de s'expliquer. Sally me raconta par la suite qu'il s'était assumé gay et vivait avec un homme. Était-ce là l'explication à son comportement ? En 1974, il m'envoya un exemplaire de son premier roman *Native Daughter.* Je lui adressai une longue lettre pour le complimenter, car le livre était beau. Il n'y répondit pas. Alors que je vivais aux USA, je me rendis à East Lansing à une conférence d'écrivains où il était annoncé. Il n'y vint pas. Décidément, nos rapports étaient placés sous une mauvaise étoile.

Bankole Akpata revint peu après Noël. Comme je n'avais plus un sou et ne savais d'ailleurs où aller, je ne pus quitter son appartement et c'est contre lui que je dus me défendre désormais. Il avait coutume d'apparaître dans ma chambre vers minuit vêtu de son pyjama rayé. Il faisait mine de s'introduire de force dans mon lit. Pensant me protéger, je prenais Leïla avec moi, mais cela ne le décourageait pas. D'ailleurs, Leïla dormait comme une bienheureuse et ne s'apercevait pas de nos silencieux combats. N'empêche ! En trois jours, Bankole régla mon problème.

« *Osagyefo never dies* »

Comptine enfantine

Grâce à lui, je fus nommée instructeur de français au Winneba Ideological Institute dont il était un des codirecteurs. Il se porta garant de mon engagement politique, de ma foi dans le socialisme africain et même de ma moralité. À l'en croire, j'étais un parangon de vertu. Sans être mirobolant, le salaire qu'on m'offrit était généreux. Il me permit de m'acheter une voiture anglaise Triumph, de changer mes hardes et celles des enfants. Je redécouvris le plaisir qu'il y a à porter des vêtements élégants, à enfiler de jolies chaussures. Enfin, je pus engager une jeune fille, Adeeza, pour m'aider à m'occuper de mes enfants. Une voix ne salua pas cette nomination qui semblait à tous inespérée. Celle de Roger Genoud. Il aurait préféré m'employer au Ghana Institute of Languages qu'il dirigeait.

« Faites attention à vous ! me recommanda-t-il. Winneba n'est pas un endroit facile pour une femme seule. »

Je ne fus pas ébranlée par ce commentaire. Roger aurait pu porter un jugement identique sur l'ensemble du pays.

Je pris la route de Winneba au matin du 3 janvier 1964 et pour la seule fois de mon séjour au Ghana, je parcourus prudemment les quarante miles qui séparaient cette agglomération d'Accra. Car je devais devenir un bolide du volant que tous redoutaient. Cette fois, je venais de m'acheter un permis de conduire, ce qui était la coutume au Ghana où tout se monnayait. À part une rapide initiation donnée par un professionnel, j'ignorais les mystères d'un moteur de voiture et savais à peine où mettre l'eau et l'huile. Je ne m'étais jamais assise seule derrière un volant. Heureusement, ce jour-là était un dimanche. Pas un véhicule en vue. Quelques vaches bonasses broutaient l'herbe des prés où trottinaient des chèvres. Les villages semblaient prospères, serrés autour de leurs églises. La mer noirâtre apparaissait fugitivement entre les cases. Les sentiments que j'éprouvais étaient partagés. Certes, j'étais rassurée à l'idée de pouvoir élever convenablement mes enfants. Mais, je regrettais beaucoup de devoir quitter Accra et de couper court aux plaisantes relations que je commençais de nouer. Quelle allait être mon existence ? Mes appréhensions étaient fondées, car le Kwame Nkrumah Institute of Economics and Political Science, communément appelé « Winneba Ideological Institute », abrité dans un ancien village de pêcheurs, me déplut instantanément par sa laideur. Quelques misérables cahutes traînaient encore sur la plage, encombrée de détritus, mais l'ensemble de l'endroit était moderne et sans âme. Dans une trentaine de pavillons de briques malgracieux, précédés de minuscules jardinets, était logé le personnel enseignant, pour la plupart composé d'étrangers. Ils se disposaient en demi-cercle autour de deux immeubles en béton de plusieurs étages où étaient empilées les salles de cours. On comptait aussi un petit quadrilatère de béton qui abritait un centre de soins et un hypermarché. Le Kwame Nkrumah Ideological Institute, créé en février 1961, était la prunelle des yeux de Kwame Nkrumah, la réalisation d'un de ses rêves les plus chers : réunir en un seul et même lieu des membres fervents des mouvements nationalistes africains afin qu'ils enseignent et propagent les idéaux conjoints de l'Unité Africaine (Pan-Africanisme) et du socialisme. La nature des étudiants variait. Une année, des cours d'endoctrinement avaient été dispensés aux ambassadeurs du Ghana en poste dans des pays non africains. Une autre année, l'institut avait reçu de véritables terroristes, capables de diverses activités révolutionnaires.

Cependant, l'élément le plus frappant de cet ensemble architectural était une gigantesque statue de Kwame Nkrumah, un livre à la main. Elle était sise au mitan de la place du même nom, car Winneba était le lieu d'un culte de la personnalité tel que je n'en avais jamais imaginé. À l'école, avant et après les classes, les élèves et les maîtres s'assemblaient dans la cour. Autour du drapeau frappé de « l'Étoile Noire », gravement ils chantaient en chœur :

Osagyefo (nom donné au président) *never dies*.

La librairie du centre, baptisée librairie Kwame Nkrumah, ne vendait que les ouvrages du maître à penser et le journal du parti unique, le C.P.P. (Convention People's Party). Dans l'auditorium Kwame Nkrumah, des orateurs en provenance du monde entier se succédaient. Leurs entretiens se terminaient invariablement par l'éloge dithyrambique du nkrumahisme. Malcolm X rendit visite à l'institut le lendemain de mon arrivée à Winneba alors que j'avais à peine ouvert mes valises. Cependant, je n'aurais raté cet évènement sous aucun prétexte. Mon intérêt pour l'Amérique noire datait de fort longtemps. Ma mère avait affiché dans sa chambre la photo d'une famille de huit enfants, docteurs, avocats, militaires haut gradés qu'elle ne cessait de nous offrir en modèle.

« C'est en Amérique qu'un nègre peut donner toute sa mesure ! » ne cessait-elle de répéter.

Mon frère Guito se gaussait derrière son dos de son ignorance et de sa naïveté. Il me décrivait les horreurs de la ségrégation, les lynchages, les pogroms. Pour m'en convaincre, il me faisait écouter le disque de Billie Holiday *Strange fruit* dont il me traduisait les paroles, car il possédait une remarquable collection de blues. Petite, je compris que les États-Unis sont une terre complexe dont on peut affirmer avec une égale vérité une chose et son contraire. Plus tard, puisque les poètes de la Négritude s'étaient passionnés pour la littérature afro-américaine, j'en fis de même. Je lus Jean Toomer, Nella Larsen, les écrivains de la Renaissance de Harlem, Langston Hughes.

Malcolm X était un grand chaben qui ressemblait à un Antillais. Il parla pendant quatre heures dans un silence religieux de sa rencontre avec l'islam en prison. En l'entendant, certains – et moi parmi eux – pleuraient tant son propos était à la fois émouvant et fort.

La semaine suivante, ce fut au tour de Che Guevara. Mon espagnol rudimentaire ne me permettait pas de le comprendre, mais je le trouvai encore plus beau que sur sa célèbre photo au béret. J'applaudis à tout rompre.

Cependant la visite la plus spectaculaire fut celle de Kwame Nkrumah en personne, flanqué du président de la toute nouvelle république de Tanzanie, Julius Nyerere. Un peu avant midi, leur Mercedes s'amena en trombe, précédée par un aréophage de toutes espèces de véhicules remplis d'hommes en armes qu'ils braquèrent sur la foule, pourtant maintenue à bonne distance derrière des barrières de fer. Par contraste, je ne pus m'empêcher de me rappeler le simple appareil dans lequel un autre dictateur, Sékou Touré, se déplaçait dans le quartier de Boulbinet. Kwame Nkrumah à côté de Julius Nyerere, c'était un peu le couple Don Quichotte et Sancho Pança. Le premier, grand, visiblement extraverti, agité, saluant bras levés, vêtu d'un flamboyant kente, le second engoncé dans un complet-veston gris sombre, petit, timide d'apparence. Au milieu d'un tonnerre de hourras et d'applaudissements joint à l'habituel tumulte des griots, les deux présidents s'engouffrèrent dans le bâtiment où n'étaient admis que des privilégiés dont je ne faisais pas partie.

En effet, sitôt que j'eus mis le pied à Winneba, je compris que j'eus été parachutée dans une Afrique entièrement différente de celle où j'avais vécu et où je n'avais pas ma place : celle des puissants et de ceux qui aspiraient à le devenir. Les étudiants ne prenaient pas la peine d'assister à mes cours. Quelle utilité, une matière aussi futile que le français ? Mes collègues, pressés de courir faire leur cour aux V.I.P. de passage, me saluaient à peine. Il n'y avait que le directeur de l'institut à me prêter une certaine attention. Il s'appelait Kodwo Addison et était une des figures politiques les plus en vue du pays, un des trois hommes choisis par Kwame Nkrumah pour le remplacer au gouvernement si besoin en était. Il se jeta sur moi alors que j'étais venue lui présenter mon syllabus. Nous fîmes l'amour sur un divan de cuir noir placé sous l'inévitable photo de Kwame Nkrumah. C'était un parfait spécimen de mâle ghanéen, musculeux, bien bâti, portant sur le visage un lourd masque d'arrogance. Ce qui aurait pu n'être qu'une rencontre occasionnelle devint une liaison et bientôt, nos relations furent réglées comme papier à musique. Il passait le week-end à Accra dans sa famille. De retour à Winneba le lundi matin, chaque mardi et chaque vendredi, il m'invitait à dîner chez lui. Dans son bungalow meublé de façon très cossue, s'affairait une nuée de domestiques en livrée blanche. On aurait cru que les repas seraient illuminés par un feu roulant de conversations sérieuses, touchant au socialisme africain, au capitalisme, au sous-développement et aux moyens d'en sortir. Il n'en était rien. Les invités étaient trop occupés à plaisanter, se bâfrer et boire. Je n'ai jamais vu boire autant. Whisky, gin, vodka, vin de palme, et même saké, tout y passait. À la table de Kodwo Addison figurait toujours son grand ami, le professeur d'économie nigérian Samuel Ikoku, flanqué de sa maîtresse, une jolie journaliste ghanéenne. Samuel Ikoku était certainement la seule personne de Winneba à s'intéresser au français qu'il apprenait grâce à la méthode Assimil. Au milieu des éclats de rire de tous, il s'essayait à des phrases simples :

« Hier, je suis allé à Accra. »

« Ce matin j'ai pris un bain de mer. »

Il était entouré d'enseignants de toutes nationalités fort joyeux, bons vivants. Je me souviens en particulier d'un historien anglais, toujours à moitié saoul, grimaçant comme un faune et marié à une somptueuse Éthiopienne dont l'humour était dévastateur. Il appelait de ses vœux la fin de la monarchie en Angleterre, ce qui me choquait énormément. Parfois on en venait tout de même à parler de Kwame Nkrumah, mais toujours sur un mode ludique. Ses maîtresses. Ses bons mots. Ses facéties lors de ses visites à Londres. Les innombrables attentats auxquels sa baraka lui permettait constamment d'échapper.

Après avoir dévoré un plantureux repas et s'être gorgés d'alcools, les invités se retiraient en titubant jusqu'à leurs Mercedes où somnolaient les chauffeurs qui les reconduisaient chez eux. Kodwo Addison et moi, nous montions dans une des chambres du premier étage. Il enfilait un préservatif avant de se jeter sur moi avec emportement et de grogner en prenant un plaisir qui me stupéfiait, vu que je ne ressentais rien de rien. Ensuite, il grognait cette fois de bien-être et s'endormait comme une masse. Je me rhabillais et redescendais au rez-de-chaussée. Les gardes qui cernaient la véranda me saluaient militairement. Puis, l'un d'entre eux s'armait d'une torche, car il faisait nuit noire, les arbres poussant à profusion à Winneba, et me ramenait jusqu'à mon bungalow. Des rais de lumière brillaient encore à quelques fenêtres des maisons voisines quand j'arrivais chez moi. Je m'asseyais sur ma galerie et je réfléchissais. Est-ce pour mener cette vie sans lumière que j'avais quitté la Guinée et transplanté les miens ? Sur le plan matériel, je ne manquais de rien. Mon frigidaire regorgeait de poissons frais ou fumés, de toutes sortes de viandes de gibier qu'Adeeza apprêtait avec un art consommé. Mais sur le plan intellectuel ? Je n'avais pas d'amis et ne fréquentais personne, à part un collègue, M. Tehoda, réfugié togolais, si doux et si timide qu'on se demandait comment il avait pu diriger un parti d'opposition et supporter la torture en prison. Je commençais de me demander si les intellectuels d'Accra n'avaient pas raison, s'il ne fallait pas se tenir aussi loin que possible de tout ce qui avait nom nkrumahiste. J'étais affamée. Mon cœur était affamé. Mon corps était affamé. Kodwo Addison ne me satisfaisait en rien. La réalisation de la médiocrité de mon existence sapait mon courage. Et du courage, il m'en fallait. Je perfectionnais mon anglais. Je continuais mon initiation à la culture de l'Afrique anglophone. J'étais plongée dans la lecture du théâtre de Wole Soyinka après avoir savouré des romans très différents, condamnant aussi le colonialisme : *Things Fall Apart* (1958) de Chinua Achebe qui est devenu le classique que l'on sait et *Jagua Nana* (1961) de Cyprian Ekwensi. Le plus dur de mes réflexions tournait autour de cette question que je ne cessais de me poser : avais-je trouvé ce que je cherchais ? Au moins, j'avais à présent intégré une notion simple, une notion à laquelle personne ne pensait suffisamment : l'Afrique est un continent. Il est composé d'une diversité de pays, c'est-à-dire de civilisations et de sociétés. Le Ghana n'était pas la Guinée. Kwame Nkrumah s'efforçait de moderniser le Ghana traditionnel, au risque de s'attaquer à ce que les Ghanéens considéraient comme les éléments culturels les plus sacrés. Cela ne revenait-il pas à frapper à mort l'âme du pays ? J'étais au courant de l'affrontement de Kwame Nkrumah avec J. B. Danquah. J. B. Danquah appartenait à une de ces familles nobles, familles de chefs qu'il haïssait et jalousait sans doute. Danquah avait été le premier Africain à obtenir un doctorat en droit de l'université de Londres. Nombreux étaient ceux qui voyaient en lui le premier président de la Gold Coast indépendante. Mais élitiste et manquant peut-être de vision, il ne sut s'opposer au charisme populiste de Kwame Nkrumah et fut battu aux élections présidentielles de 1957. Peu après mon arrivée au Ghana, il fut arbitrairement jeté en prison où il mourut dans des conditions sordides.

Étant donné la solitude dans laquelle je vivais, mes incessantes lectures, mes réflexions personnelles et le défilé de personnalités politiques de haut niveau à Winneba, je mûrissais. J'en venais à me demander si j'avais vraiment compris la Guinée. Quelles avaient été les véritables ambitions de Sékou Touré ? Quelles étaient les raisons de son incapacité à effectuer la Révolution ?

Deux week-ends par mois, laissant les enfants à la garde de la très capable Adeeza, je me rendais à Accra. Mes frayeurs s'étaient envolées et je m'étais aperçue que j'adorais conduire. La Triumph étant une voiture de course très rapide, je dévalais la route à un train d'enfer. Sans verser dans des explications psychologiques faciles, je dirai que je me libérais par la conduite de mes frustrations, que je me vengeais des sujétions qui pesaient sur moi. Les automobilistes que je croisais garaient précipitamment leurs véhicules en me hurlant des insultes. Je fonçais tandis qu'autour de moi, les arbres, les champs, les maisons s'envolaient de droite et de gauche. Je devenais pour un temps toute-puissante, l'égale de Dieu. J'avais en permanence mon couvert mis et une chambre d'amis chez les Genoud.

Ils me scrutaient :

« La compagnie des V.I.P. de Winneba ne vous réussit pas ! faisait observer Roger. Vous avez l'air de plus en plus triste. »

Il méprisait la clique de Winneba :

« Pauvre Nkrumah ! Personne ne se soucie de développer ni de moderniser l'Afrique. Son bel institut idéologique n'est qu'un haut lieu de booze, de ripaille et de baises.

— Ce qu'il te faut, coupait Jean, c'est un amoureux ! »

Bien sûr, je m'étais bien gardée de leur parler de Kodwo Addison. D'ailleurs, qu'y avait-il à en dire ? Cette liaison ne signifiait rien.

« Jamais deux sans trois et le troisième est fatal »

Proverbe guadeloupéen

Lors de mes week-ends à Accra, je passais aussi beaucoup de temps avec Lina Tavares. Je l'accompagnais à ces « house-parties » dont le caractère frénétique me changeait de mes longues soirées solitaires à Winneba. Lina passait des bras d'un homme à ceux d'un autre. La raison de ce qui aurait pu sembler de la légèreté, m'expliquait-elle, était qu'elle voulait oublier ses souvenirs trop douloureux. Ses deux enfants avaient pour père Santiago de Carvalho, un planteur portugais chez qui elle se louait depuis ses quinze ans. Il ne l'avait ni violée ni engrossée de force. Elle l'aimait. J'étais stupéfiée, voire choquée de l'entendre. À l'époque, un couple mixte me semblait une aberration. Lina riait aux éclats quand je lui exposais gravement mes idées :

« Un homme que tu aimes n'a pas de couleur pour toi ! me répétait-elle. Tu l'aimes, c'est tout. »

Santiago avait été assassiné sous ses yeux par d'autres Portugais qu'irritait sa trop grande familiarité avec les Africains. Elle était parvenue à s'enfuir avec ses petits et avait rejoint les rangs du P.A.I.G.C. Là, on lui avait appris à lire, à écrire et elle était devenue puéricultrice. Si en fin de compte elle se trouvait au Ghana, c'était pour échapper à l'extermination des membres de son réseau par la police portugaise.

Le pire pour moi est qu'elle n'entendait refaire sa vie qu'avec un autre Blanc comme Santiago.

« Les Africains ne valent rien ! affirmait-elle. Ils ne savent que tromper, battre leurs femmes et manger tout l'argent du ménage. »

Son rêve n'était pas irréalisable. Le Ghana était rempli de Blancs, des Anglais surtout, mais aussi des Américains et des Européens de toute origine, lassés comme Roger et Jean de la politique de leurs pays et désireux de respirer un autre air. Ils se mariaient parfois avec des Africaines. Le plus célèbre était l'Irlandais Connor Cruise O'Brien, vice-chancellor de l'université de Legon, qui après un bruyant divorce s'était remarié à une poétesse congolaise. Un soir de la fin mars, je m'en souviens parfaitement, Lina m'emmena chez Alex et Irina Boadoo qui baptisaient leur dernière-née. C'était un couple de métis très branchés, lui, architecte, elle, ancien mannequin qui avait fait la couverture de *Cosmopolitan*. Leur splendide villa débordait de monde et les buffets, disposés dans le jardin, étaient pris d'assaut. Je venais à grand-peine de trouver un siège où m'asseoir quand un homme s'inclina devant moi et me dit avec un accent anglais si pur que dans cette bouche africaine il semblait affecté :

« Voulez-vous m'accorder cette danse ? »

C'est par cette phrase rabâchée, par ce super cliché que débuta ma troisième passion. Elle devait être aussi douloureuse que les deux précédentes, mais pour des raisons fort différentes.

Celui qui me faisait cette proposition s'appelait Kwame Aidoo. Il était avocat, ayant étudié le droit à Lincoln College à Oxford. Après avoir exercé quelques années à Chancery Lane à Londres, il venait de rentrer à Accra et habitait chez Alex Boadoo qui était son cousin. Physiquement, c'était exactement le genre d'homme que j'aimais : pas très grand, très noir, très chevelu, avec des yeux mélancoliques et étincelants à la fois. Il portait avec une sorte d'ostentation son élégant costume de tergal sombre d'une coupe italienne. Car l'habit au Ghana faisait le moine. Généralement, les hommes s'habillaient comme Kwame Nkrumah, soit de ce qu'on appelait des *political suits*, sorte de tuniques à quatre poches soit, lors des cérémonies, de lourds kentes.

Je ne sais pas danser, je le répète. J'allais donc décliner l'offre quand d'une main inflexible, il me saisit le poignet et m'entraîna parmi les danseurs. Mal assurée, je fis de mon mieux. Le morceau enfin terminé, nous trouvâmes deux sièges sur la véranda. Là, nous passâmes les moments suivants à nous raconter nos vies. Il apprit avec horreur et stupéfaction que j'enseignais à Winneba.

« Vous ? Dans un endroit pareil ! » s'exclama-t-il.

J'avais pas mal d'autres choses à avouer :

« Je suis mariée. Mais je vis séparée de mon mari qui est en Guinée. »

Après un silence, j'assénai :

« J'ai quatre enfants. »

Il sembla pris de court, interrogeant avec incrédulité :

« Combien ?

— Quatre », répétai-je.

Il eut ce sourire gamin qui m'avait déjà enchantée : « *Nobody is perfect*, comme dit Billy Wilder. »

C'était pour employer l'expression de Seyni à propos de Louis Gbéhanzin, un « féodal ». Héritier de la famille dirigeante du petit royaume d'Ajumako, à l'est d'Accra, il haïssait Kwame Nkrumah et la clique du C.P.P. qui, à l'instar de Sékou Touré et du PDG en Guinée, dans leur entreprise de modernisation du pays cherchaient à réduire à néant les pouvoirs de la chefferie traditionnelle.

« Je vous emmènerai à Ajumako, promit-il, et vous verrez de quelle dévotion on nous entoure. Mon père a quatre-vingt-sept ans et selon la coutume, on a déjà commencé les cérémonies de ses funérailles. Je ne m'assiérai pas sur le *stool* (trône), je suis trop occupé par mon métier, mais mon frère Kodjo sera intronisé à ma place. »

De tels propos ajoutaient à la magie de l'instant. Vers minuit, nous montâmes dans la chambre d'un des fils d'Alex qu'il occupait, tapissée, en lieu et place des inévitables portraits de Kwame Nkrumah, de photos des Beatles qui venaient d'être découverts et déchaînaient l'hystérie à travers le monde. J'étais anéantie de bonheur. Mon corps et mon cœur avaient retrouvé leur langage.

Je revins à Winneba à un train raisonnable, cette fois, car pendant le trajet, je revivais les moments que je venais de connaître et réfléchissais à l'avenir. Il me fallait me débarrasser de Kodwo Addison. Il n'était plus question de faire l'amour avec lui. À peine arrivée à Winneba, je me jetai sur du papier à écrire et je rédigeai à son intention une lettre que je lui fis porter, séance tenante, par Adeeza. Je l'informais que je ne voulais plus le revoir. Tout était fini entre nous.

Pourquoi cette hâte, cette brutalité ? De quoi est-ce que je me libérais ? La journée se passa sans incident. Comme à l'accoutumée, ma salle de cours était aux trois quarts vide, ce qui ne me troublait plus. Après le déjeuner, je pris le café chez les Téhoda.

Vers dix-huit heures, une Mercedes noire s'arrêta devant ma porte et Kodwo Addison en personne en descendit, entouré de ses gardes du corps qui se postèrent en faction sur ma petite galerie. De son pas lourd, il entra dans le bungalow.

« Je veux que vous me répétiez, fit-il calmement, ce que vous m'avez écrit. Je veux vous l'entendre dire et je veux entendre vos raisons. »

Je m'exécutai d'une voix malgré moi tremblante. Il me fixa d'un air désemparé qui me surprit :

« Vous ne me donnez pas vos raisons. Qu'est-ce que je vous ai fait ? Qu'est-ce que tout cela signifie ? Y a-t-il un autre homme ? »

J'aurais pu affirmer le contraire. Le mensonge ne m'a jamais fait peur. Au contraire. Je répondis par l'affirmative. Sans mot dire, il se prit la tête entre les mains, resta un long moment immobile tandis que pour la première fois je me demandais ce qu'il éprouvait en réalité pour moi. Ensuite, soudainement vieilli, il se leva et retourna à sa voiture.

Je demeurai confondue. Visiblement, il avait été blessé. Je finis par me convaincre que c'était dans son orgueil. Un homme aussi important, qui mangeait à la table du président ne pouvait tolérer d'être trahi par une mauviette. Je passai la nuit à me persuader que je n'avais rien à me reprocher.

Le lendemain, mes enfants venaient de partir pour

l'école, quand un garde frappa à ma porte. Après un salut militaire, il me remit une mince enveloppe. Elle contenait un bref pli signé « Kodwo Addison, Directeur » qui m'apprenait que mes fonctions d'instructeur de français au Winneba Ideological Institute étaient révoquées. Je devais sur-le-champ évacuer mon bungalow et en rendre la clé au service du logement.

Cette mise en demeure résonnait d'un son déjà entendu. À Flagstaff House, on avait agi de façon identique avec moi quand Elman avait retiré sa « garantie révolutionnaire ». J'expliquai la situation à Adeeza qui fondit en larmes. Moi, les yeux secs, je fis mes valises. Quand les enfants revinrent, après un déjeuner sur le pouce, je les entassai dans la Triumph et je pris la route d'Accra. Ils m'accablaient de questions. Pourquoi partions-nous ? Où allions-nous ? Que feraient leurs amis Téhoda en trouvant notre porte close ? N'allions-nous plus jamais revenir à Winneba ?

Roger et Jean ne furent pas outre mesure surpris de nous voir débarquer chez eux :

« Que s'est-il passé ? » interrogèrent-ils.

Je ne pus me résoudre à avouer la vérité et j'inventai une histoire à laquelle ils ne crurent ni l'un ni l'autre. Jean me le confia par la suite quand je me décidai à dire ce qui s'était réellement passé.

« J'ai toujours su que cela finirait mal pour vous ! » grommela Roger.

Au fond de moi, je n'étais pas entièrement surprise. J'avais toujours su que je n'étais pas à ma place à Winneba et, quelque part, j'attendais la fin du sursis. Pour cette raison, peut-être, je m'opposai à ce que Kwame Aidoo en sa qualité d'avocat prenne ma défense et tente d'invoquer des droits sociaux. Un fait du prince m'avait introduite à Winneba. Un autre m'en délogeait. Kwame Aidoo, au contraire, n'arrêtait pas de fulminer :

« Le Ghana est une jungle ! Sans règles, sans lois ! J'ai honte d'appartenir à un pareil pays. »

« La vie est un long fleuve tranquille »

Étienne Chatiliez

Roger Genoud devait se vanter d'avoir joué au Père Noël dans ma vie. Et Père Noël, il le fut. Moins de quinze jours après mon renvoi de Winneba, il m'engagea chez lui au Ghana Institute of Languages. Du coup, il me fit attribuer, dans le quartier résidentiel de Flagstaff House, une maison traditionnelle en bois de dix ou douze pièces, entourée d'un jardin où poussaient à profusion des rhododendrons et des azalées. Je me rappelle le ravissement des enfants, explorant les coins et recoins de leur nouvelle demeure.

« C'est là qu'on va habiter maintenant ?

— C'est plus joli qu'à Winneba ! » conclut Aïcha.

Je me torturais au sujet des petits. En apparence, ils semblaient bien tolérer la multitude de changements qui survenaient dans leur existence. Mais il m'était difficile de croire qu'au plan psychique, ils ne souffraient de rien. Qui peut dire avec certitude ce qui se passe sous le front lisse d'un enfant ? Ils faisaient tous les quatre pipi au lit et Adeeza passait des heures à laver des draps. Ils faisaient fréquemment des cauchemars. Denis se rongeait les ongles jusqu'au sang. Tous ces signes n'étaient-ils pas inquiétants ? Je cherchai frénétiquement l'adresse d'un pédopsychiatre et finis par en dénicher un à Korle Bu Hospital. Malheureusement, il fallait des mois pour obtenir un rendez-vous et je finis par y renoncer.

Comme Kwame Aidoo s'exaspérait de la lenteur des travaux de construction de sa villa, je lui proposai de venir vivre avec moi. Il accepta sans enthousiasme, car selon la tradition ghanéenne, un homme ne s'installe pas chez une femme. Entourée de l'homme que j'aimais et de mes petits, j'aurais dû atteindre à la plénitude du bonheur.

Hélas ! Il n'en fut rien.

Très vite, un obstacle se dressa entre nous, obstacle que je n'aurais jamais prévu : les enfants. Kwame me signifia sans ambages qu'à l'exception de Denis que Jean Dominique avait abandonné avant sa naissance, ce n'était pas à moi de les élever. Je faisais de mes filles des étrangères, des terres rapportées alors qu'elles possédaient un père et appartenaient à la vibrante communauté des Malinkés de Guinée. En attendant, comme il jugeait que tous ces enfants m'étouffaient, il édicta une série de règles visant à me libérer. D'abord, il fit aménager au sous-sol une salle de jeux dans laquelle les quatre enfants étaient virtuellement tenus prisonniers puisqu'ils n'avaient plus accès aux pièces du rez-de-chaussée : living-room, salon, bibliothèque. Ils devaient prendre leurs repas avec Adeeza dans une pièce avoisinant la cuisine. Ils ne devaient sous aucun prétexte pénétrer dans notre chambre à coucher ou notre salle de bains où Sylvie-Anne et Aïcha aimaient tant venir toucher à mes parfums, à mes crèmes et à ma brillantine. Le fragile Denis fut déclaré gardien de ses sœurs dont il devait superviser le travail et animer les jeux, surtout pendant les week-ends, car dès le vendredi soir, Kwame exigeait que je l'accompagne à Ajumako.

Cet endroit figure dans une de mes premières pièces de théâtre : *Mort d'Oluwemi d'Ajumako.* J'aimais son étrange architecture, ses cases en rondins agrémentées de motifs faits de boue séchée. Quand la nuit venait, sous le ciel d'encre, les femmes relevaient leurs triples jupes et dansaient comme des furies sur la place du village. Leurs ombres se profilaient sur les façades qu'éclairait la lueur rougeâtre de quelques torches. Kweku Aidoo, le souverain et le père de Kwame, ayant accompli ses vingt ans de règne, se préparait à la mort. Toute la journée et une bonne partie de la soirée, Kwame et son jeune frère qui devait monter sur le trône recevaient les doléances des sujets dans la case aux audiences. Aux repas, on ne comptait jamais moins d'une trentaine de convives, parlant exclusivement leur langue maternelle. Quand je me plaignais de ne rien comprendre à ce qui se passait autour de moi, Kwame haussait les épaules et me lançait une nouvelle variante de la recommandation entendue tant de fois :

« Tu n'as qu'à apprendre à parler le twi. »

Heureusement, il avait une sœur, Kwamina, qui baragouinait l'anglais. Elle avait été mariée à un prince du sang, mort peu après leur union. Sans enfants, elle ne faisait rien de ses jours. Une servante s'occupait de la laver, une autre de l'habiller, une troisième de la couvrir de bijoux. Ensuite, on la portait jusqu'à une couche installée dans la cour où une quatrième servante l'éventait tandis qu'une coiffeuse dessinait des torsades dans sa chevelure touffue. Ainsi parée, elle donnait sa main à baiser à des dizaines de suppliants.

Pour meubler son temps, elle m'abreuvait de légendes de la dynastie régnante.

Le souverain Kweku Aidoo, connu pour sa cruauté et ses excès, après ses vingt ans traditionnels de règne, n'abandonnait pas le pouvoir. Ses grands prêtres avaient beau le supplier, il s'accrochait à son trône et avait décidé de défier les ancêtres en prenant une nouvelle femme alors qu'il en avait déjà plus d'une vingtaine. Il jeta son dévolu sur une vierge de onze ans, ce qui était un crime. La nuit de ses noces, avant qu'il ait pu consommer sa jeune épousée, il avait été pris d'un mal inconnu et était mort dans d'horribles souffrances sans que ses médecins aient pu le soulager.

Par intervalles, au cours de la journée, je pensais à mes enfants et j'avais l'impression d'être une horrible marâtre.

Pendant les grandes vacances, je reçus de nombreuses visites. Eddy, Françoise Didon, attirées par la réputation du Ghana, seul pays d'Afrique, assuraient les spécialistes, à sortir du sous-développement ; ma sœur Gillette, écrasée par un nouveau drame conjugal. Décidément, Jean faisait des siennes. Lui, le catholique pratiquant, fils de catholiques pratiquants, s'était amouraché d'une belle prénommée Fatou-Beaux-Yeux. Il s'était marié avec elle selon le rite musulman et, abandonnant sa famille, s'était ensuite installé dans une luxueuse villa de la Cité des ministres. S'il n'avait pas divorcé d'avec Gillette alors qu'il ne l'aimait plus, c'est qu'il avait pitié d'elle, orpheline, et apatride. Toutes ces femmes très différentes l'une de l'autre se rejoignirent sur un point : leur antipathie pour Kwame Aidoo.

« Si tu n'aimes pas mes enfants, c'est que tu ne

m'aimes pas, moi non plus ! » martelait Eddy, horrifiée de la manière dont il traitait les petits.

Gillette retrouvait sa verve pour le fustiger, utilisant la pire injure guinéenne :

« C'est un contre-révolutionnaire. »

Toutes trois m'enjoignirent de mettre fin à cette détestable liaison.

« Tu vas le regretter ! » prédisait Françoise.

J'étais bien incapable de suivre leurs conseils. J'aimais passionnément Kwame. Ce n'était pas une simple passion physique comme avec Jacques. J'admirais son intelligence et son immense culture. Son dieu, bien sûr, était J. B. Danquah, le rival malheureux de Kwame Nkrumah, qu'il révérait comme un martyr.

« C'est lui qui a proposé de rebaptiser notre pays le Ghana ! affirmait-il. Kwame Nkrumah a volé son idée. »

À cause de lui, je m'attelai à la lecture de l'ouvrage de Danquah, *Akan Doctrine of God* (1944) auquel, je dois l'avouer, je ne compris pas grand-chose.

Depuis que j'avais découvert Aimé Césaire et les poètes de la Négritude, je n'accordais que peu de crédit aux productions culturelles européennes. Cette tendance avait été exacerbée par mes années en Guinée, les préceptes de Sékou Touré et du PDG m'ayant malgré moi influencée. J'étais convaincue qu'il fallait se méfier des ruses et des pièges que ne cessait de fomenter l'Occident capitaliste. Avec Kwame Aidoo, il en allait tout autrement. Ainsi, « L'Afrique aux Africains », ce concept d'Edmond Wilmot Blyden que j'avais tant admiré, lui paraissait absurde et, en fin de compte, dangereux :

« L'Afrique appartient à tout le monde, à tous ceux qui la comprennent et veulent communiquer avec elle.

Un de ses malheurs justement est d'avoir vécu trop longtemps isolée. »

Il professait la plus vive admiration pour ce J.F. Kennedy dont j'avais appris l'assassinat, on s'en souvient, avec tant d'indifférence. Il connaissait par cœur ses discours et les déclamait.

Combien de fois ai-je entendu la tirade :

« My fellow citizens of the world, ask not what America will do for you, but what together we can do for the freedom of man. »

Il admirait aussi Gandhi, Nehru et… le général de Gaulle. Il adorait la musique, toutes les formes de musiques. Nous nous levions, nous mangions, nous nous couchions dans le tumulte des symphonies, des concerti, des requiems, mais aussi des high lifes, des calypsos et de la salza. C'est à partir de ces années-là que la musique est devenue partie intégrante de mon existence.

Je dois aussi reconnaître que ses origines m'impressionnaient. À cause de lui, je tentai de déchiffrer la symbolique et le complexe fonctionnement des sociétés précoloniales. Grâce aux ouvrages de R.S. Rattray, je découvris l'horreur des sacrifices humains que pratiquaient autrefois les Ashantis. À la mort de chaque *Asantehene*, Empereur, des centaines d'hommes et de femmes étaient mis à mort ou enterrés vivants. Quand, épouvantée, j'interrogeai Kwame à ce sujet, il réagit avec une désinvolture qui me confondit :

« Ne parle pas comme les Anglais qui ne comprennent rien à ces choses-là. Il s'agissait d'esclaves, qui ne demandaient qu'à suivre leur souverain dans la mort. C'était pour eux un honneur. Et un bonheur. »

Voulant en savoir davantage sur ce qu'étaient devenus ces redoutables Ashantis, j'invitai Françoise Didon à se rendre à Kumasi, capitale de leur défunt empire, avec les enfants et moi. Elle commença par me faire jurer de conduire à une allure raisonnable, car personne n'acceptait de monter en voiture avec moi, Gillette allant jusqu'à affirmer qu'inconsciemment, je recherchais le suicide.

Au sortir d'Accra, nous fûmes happés par une forêt bien plus dense que celle qui séparait Bingerville d'Abidjan. Nous voyageâmes pendant des heures dans une pénombre à la fois douce et oppressante. Attirés par la lueur des phares, des animaux, impossibles à identifier, surgissaient d'entre les troncs massifs. D'autres hululaient ou glapissaient ou jacassaient. Des oiseaux invisibles pépiaient. Écrasés par la puissance de la nature, même les enfants se taisaient. L'Asantehene Agyeman Prempeh II avait été, lui aussi, le rival de Kwame Nkrumah dans sa destruction des autorités traditionnelles. En fin de compte, il avait été réduit à un rôle purement cérémoniel. À la télévision, je l'avais souvent vu, grand vieillard décharné en tenue traditionnelle dominant de la tête sa très belle et très jeune épouse, habillée par de grands couturiers. Ce contraste me fascinait. Nana Agyeman Prempeh II habitait au centre de Kumasi un élégant palais, entouré de colonnades de bois. Malheureusement, nous ne pûmes nous mêler à la foule des visiteurs de toutes origines qui se pressaient sur ses galeries. À cause des enfants, les gardes nous en interdirent l'accès. Nous dûmes traîner par les rues inondées de soleil de la petite ville, dévorer du poulet grillé dans une gargote. Vers quatre heures, nous revînmes devant le palais de l'empereur pour un spectacle haut en couleurs. Drapé dans son lourd kente, les pieds protégés par d'énormes et symboliques sandales, car ceux-ci ne devaient jamais être en contact avec la terre, Nana Agyeman Prempeh II faisait sa promenade comme chaque après-midi. Il reposait sur une sorte de divan couvert de peaux de bêtes que des serviteurs portaient sur leurs épaules. Le précédaient et le suivaient des courtisans ployés en deux en signe de respect, le visage couvert de cendres, psalmodiant des litanies pendant que des musiciens soufflaient bruyamment dans des trompes et que des acrobates exécutaient mille tours. La foule, massée au passage du cortège, composée aussi bien d'étrangers que d'autochtones, hurlait son admiration. J'aurais pu être choquée par un étalage si « féodal ». Un mortel pareillement vénéré, assimilé à un dieu ! Au contraire. Cette scène d'un autre temps me dessilla les yeux et me permit de répondre à une question qui me taraudait. Ceux qui comme Kwame Nrumah, Hamilcar Cabral, Seyni, peut-être Sékou Touré et les révolutionnaires, abordaient l'Afrique et son passé anté-colonial, avec des notions modernes et en fin de compte occidentales, telles que justice pour tous, tolérance, égalité, non seulement ne la comprenaient pas, mais lui faisaient le plus grand tort. L'Afrique était une complexe construction autarcique qu'il fallait accepter en bloc avec ses laideurs et ses trouvailles de splendeur. Accepter et même chérir. Car viendrait le temps de la colonisation, qui serait celui du mépris aveugle et de la destruction par les Européens. Les tenants de la Négritude péchaient, quant à eux, par excès d'idéalisme. Ils ne voulaient retenir que des beautés défuntes qu'ils prétendaient éternelles. J'étais si bouleversée d'avoir eu « cette illumination » que malgré les protestations terrifiées de Françoise, je fonçai à tombeau ouvert sur la route qui nous ramenait à Accra. Après une cinquantaine de kilomètres, des policiers m'arrêtèrent. Deux d'entre eux s'approchèrent cérémonieusement de la voiture et portèrent leur main à leur casquette :

« Avec tous ces jeunes enfants ! s'exclama l'un d'eux d'un ton de reproche.

— Vous savez à quelle vitesse vous rouliez ? » fit l'autre.

Sur ma dénégation, il précisa :

« 180 miles à l'heure.

— Vous êtes à la merci d'un pneu qui éclate, d'un objet qui traîne sur le goudron ! » renchérit le premier.

On disait pis que pendre des policiers ghanéens. On les accusait d'être corrompus, prêts à tout pour quelques cedis. Je n'osai le vérifier et leur proposer un bakchich. Je me laissai dresser une énorme contravention et payai l'amende. Françoise respira, car, échaudée, je poursuivis le trajet jusqu'à Accra très calmement.

Quelques jours plus tard, malgré cette expérience malheureuse, je la convainquis d'aller avec moi évaluer les ravages de la rencontre Afrique/Occident. Autrefois, dans des forts disséminés le long de la côte étaient parqués les malheureux individus qui devaient partir en esclavage : Cape Coast, Elmina, Dixcove, Anomabu, Takoradi. Le ministère du Tourisme venait d'aménager ces mastodontes de pierres en hôtels de quatre voire cinq étoiles. Les touristes, surtout les Afro-Américains, s'y pressaient. Cette démarche commerciale me choquait comme me choqua vingt ans plus tard l'exploitation de Robben Island où avait été détenu Nelson Mandela. Des Suédois, des Japonais, des Américains de toutes couleurs y faisaient cliqueter leurs caméras.

À Elmina, des autobus déversaient des flots

d'Afro-Américains. Alors qu'ils venaient se recueillir sur les lieux d'où avaient gémi leurs ancêtres avant d'être embarqués dans le Passage du Milieu, ils étaient salués par les cris moqueurs de cohortes de gamins :

« Obruni (Étranger) ! Obruni ! »

Dans son livre *Lose your mother* (2007), Saidiya Hartman déplore ce rendez-vous manqué d'Elmina et avoue qu'elle ne s'est jamais sentie plus étrangère non seulement à cause de son origine, mais de sa mise. Et c'est vrai que les Afro-Américains tranchaient par leur apparence ! On peut même dire qu'ils avaient une touche impayable ! Hommes et femmes coiffés de trop volumineux afros, marchant trop vite, suant à profusion sous le soleil implacable, à cause de leurs vêtements de vinyle, affirme Saidiya Hartman. La présence des enfants agissait sur eux comme un aimant. Aux restaurants, ils s'approchaient de notre table :

« Qu'ils sont adorables !

— Ils parlent le français ! s'émerveillaient certains.

— Je parle aussi l'anglais ! » répliquait Aïcha. Ils s'esclaffaient.

Petit entracte dans le ventre de Dan

Les vacances se terminèrent et le flot de visiteuses se tarit. J'éprouvai alors un sentiment qui me surprit : le désir d'être seule avec moi-même. Apaiser les tensions, éviter les frictions trop graves dans mon entourage était une tâche quotidienne qui m'épuisait. Denis et Sylvie-Anne partageaient une peur bleue de Kwame et sa présence les liquéfiait. Aïcha se situait du côté de la rébellion et était portée à l'insolence :

« Ce n'est pas mon père. Ce n'est pas mon beau-père, puisque tu n'es pas mariée avec lui ! disait-elle de sa petite voix implacable. Alors, pourquoi nous commande-t-il ? Pourquoi habite-t-il chez nous, d'abord ? »

Kwame n'était attaché qu'à la dernière-née, Leïla, qui ne le lui rendait pas et pleurait dès qu'il s'approchait d'elle.

Quand je lui fis part de ma lassitude, Kwame ne fit aucun commentaire. Il se borna à me conseiller un court voyage hors du pays. Adeeza était très capable. Qu'avais-je à redouter ? Quant à lui, pour éviter tout drame, il retournerait quelques jours chez son cousin Alex.

La mort dans l'âme, j'achetai donc un billet pour

une des excursions à bon marché qu'organisait la Black Star Line, la compagnie aérienne nationale, en direction du Dahomey qui ne s'appelait pas encore le Bénin. J'ai raconté dans *Le Cœur à rire et à pleurer* que mes parents ne m'avaient jamais expliqué l'origine des diasporas africaines et que j'étais fort ignorante à ce sujet. Néanmoins, les récits de Louis Gbéhanzin sur son histoire familiale ainsi que d'innombrables programmes culturels au Ghana m'avaient permis d'en apprendre un peu plus, même si par nature j'étais et je demeure plus angoissée par le présent et surtout par le futur que par la connaissance du passé, ce qui peut sembler paradoxal, venant d'une adepte de la Négritude. Que vont devenir nos sociétés qui restent opprimées et marginales ? Quelle place occuperont-elles dans le monde qui se construit, pratiquement en dehors d'elles ? Seront-elles éternellement « subalternes » ? J'ignorais alors que je devais être la première présidente du Comité pour la Mémoire de l'Esclavage, créé pour assurer la mise en exécution de la loi Taubira qui en 2001 a fait de l'esclavage un crime contre l'humanité. À l'époque, je ne connaissais pas grand-chose du Dahomey, à part ce que m'en apprit un opuscule sur la mythologie Fon, hâtivement acheté à l'aéroport d'Accra.

J'embarquai aux aurores dans un appareil bondé d'Afro-Américains. J'étais surprise que mes enfants ne me manquent pas davantage. Au contraire. Être séparée d'eux me procurait un surprenant sentiment de liberté. Cependant, je n'eus pas le loisir de me plonger dans les affres de l'introspection. Après quelques minutes de vol, la jeune femme assise à ma gauche se présenta :

« *Sister*, je m'appelle Amy Evans. Je suis sculpteur. »

Puis, elle m'annonça fièrement que ses ancêtres venaient de Ouidah, petite ville du sud du Dahomey.

« Comment pouvez-vous en être si sûre ? » fis-je d'un ton circonspect.

Elle m'expliqua la nouvelle mode qui faisait fureur parmi les Afro-Américains. Moyennant quelques centaines de dollars, il était possible d'obtenir, d'une association composée d'historiens de premier plan, un arbre généalogique certifié. En mon for intérieur, je me demandai dans quelle mesure mon existence serait modifiée si je pouvais, par-delà les Boucolon et les Quidal qui composaient respectivement ma famille paternelle et maternelle, localiser avec précision le lieu d'origine de mes ancêtres. Je n'eus pas le temps de trouver la réponse à cette question, car Maya Glover, ma voisine de droite, intervint :

« *Sister*, je suis Maya Glover. »

À l'en croire, ne se comptaient plus les naïfs, escroqués dans cette recherche de leur généalogie par des historiens sans scrupules. Les deux femmes discutèrent âprement, sans parvenir à un accord. Malgré leurs divergences, nous quittâmes l'avion les meilleures amies du monde et prîmes place côte à côte dans l'autobus qui nous conduisit dans un hôtel de Cotonou. Nous eûmes à peine le temps de nous rafraîchir que nous dûmes remonter dans le car et prendre la direction de Ouidah qui abritait le temple des serpents. Mon opuscule touristique m'avait instruite du rôle considérable joué par Dan, le serpent. Né des excréments sacrés des deux déesses fondatrices du monde, Mawu et Lisa, il avait contribué à la création de l'univers et grâce à ses écailles, il assurait son maintien en équilibre.

Un bruyant marché regorgeant de fruits et de légumes magnifiques jouxtait une petite case aux murs de terre. Là, s'ébattait une douzaine d'énormes pythons, noirâtres et comme passés au vernis. Les uns rampaient sur le sol. D'autres se lovaient les uns sur les autres cependant que les prêtresses aux seins et aux pieds nus attachées à leur service psalmodiaient des prières. Pas dégoûtés, nullement effrayés, les Afro-Américains se saisirent des reptiles à pleines mains tandis que ces horribles créatures ouvraient leurs yeux somnolents et tiraient leurs langues roses. Le cœur me manqua tout à fait quand la frêle Amy Evans tenta d'enrouler un de ces mastodontes autour de son corps. Elle semblait en transe, les lèvres tremblantes et les yeux brillant de larmes.

Je battis en retraite et me retrouvai dehors au milieu de la foule bruyante du marché. Là, j'achetai des fruits inconnus, simplement parce qu'ils étaient beaux, savourant à chaque instant cette joie que j'avais oubliée : celle de la liberté.

« Vous n'êtes pas restée bien longtemps dans le temple ! me fit observer Amy d'un ton de reproche quand elle me rejoignit. C'était magique ! »

Magique ? Je gardai ma répulsion pour moi et nous remontâmes dans l'autobus.

La prochaine visite, celle de la maison d'un personnage hors du commun, Chacha Ajinakou, fut moins spectaculaire. Chacha Ajinakou, de son vrai nom Francisco de Souza, était un Brésilien, arrivé au Dahomey comme fonctionnaire. Il était chargé de tenir le registre des sorties d'esclaves du fort São João des Ajudá. Puis il avait gagné la faveur du roi Guézo et était devenu son protégé. Promu au rang d'agent exclusif des ventes du bétail humain, il avait continué la pratique de l'esclavage même quand la traite avait été interdite, d'abord par les Anglais, puis par les Français. Bien après 1818, grâce à lui, des négriers aux flancs lourds faisaient voile vers le Brésil et vers Cuba. La demeure de Chacha, fort coquette, comprenait une douzaine de pièces, regorgeant du mobilier le plus hétéroclite, fauteuils, canapés, sofas, tables de toutes hauteurs, commodes, lits à baldaquin. Dans un salon trônait un portrait en pied. Chacha n'était pas beau, mais imposant. Son énorme nez busqué s'avançait comme un pic au milieu de sa face large et carrée. Il était coiffé d'une calotte noire ornée d'un gland qui lui retombait sur l'oreille. Dans la vaste cour de la demeure, s'élevait le baracon de sinistre mémoire, c'est-à-dire l'entrepôt où les captifs attendaient le vaisseau négrier qui les emmènerait en exil.

Quelques années plus tard, alors que je réunissais de la documentation pour mon ouvrage *Ségou*, un historien béninois me révéla que tout cela, maison, portrait, baracon, était apocryphe, créé de toutes pièces par le ministère du Tourisme. N'empêche ! Ce premier séjour touristique enflamma mon imagination. Ces mythes, ces légendes, le récit de ces tensions entre les natifs-natals et les « Agoudas », ainsi qu'on appelait les esclaves du Brésil qui parvenaient à acheter leur liberté et à revenir au pays illuminent les pages de ce roman écrit vingt ans plus tard. Leur influence sur mon imaginaire fut telle que, sacrifiant peut-être à la cohésion de mon récit, je tins à ce qu'un de mes héros, un fils Traoré, Malobali, bourlingue jusqu'au Dahomey.

Notre hôtel était situé en bordure de mer, sur une très

jolie plage. Le soir venu, tandis que nos compagnons de voyage se baignaient avec des cris de gosses, Amy, Maya et moi, nous prîmes place au bar. Nous vidâmes force verres et il en résulta un vin triste. Presque en larmes, chacune de nous déblatérait contre son partenaire et y allait de l'exposé détaillé de ses griefs. À ma propre surprise, je m'entendis déplorer l'égoïsme de Kwame, ce que je ne m'étais jamais avoué. Nous en vînmes à une interrogation commune : pourquoi les hommes gâchent-ils ainsi l'existence des femmes ?

« Les hommes noirs ! précisa Maya rejoignant Lina sans le savoir. Tout provient de la manière dont ils ont été éduqués. Leurs mères, leurs sœurs, la société dans son ensemble les traitent comme des dieux à qui rien n'est interdit. »

Maya enseignait au célèbre Medgar Evers College de Brooklyn et donnait à ses observations une gravité sociologique qui m'impressionna.

Le lendemain, à la première heure, nous prîmes la route pour l'ancienne demeure des rois du Dahomey, le palais Singboji à Abomey. Mon cœur battait comme si j'allais retrouver un endroit familier, car Louis Gbéhanzin qui y avait grandi, joué au ballon dans l'enfilade de cours, m'en avait longuement parlé. Cependant le palais étant en réfection, nous ne pûmes guère que déambuler dans la grande cour, prendre des photos, flâner dans une échoppe de souvenirs où j'eus le bonheur d'acheter *Doguicimi*, le roman historique de Paul Hazoumé. Grâce à cette lecture, je pus me représenter le palais dans ses jours de splendeur quand il s'étendait alors sur une superficie supérieure à celle de Ouidah et abritait environ dix mille personnes : le roi, ses femmes, ses enfants, ses ministres, ses amazones, guerrières qui se coupaient un sein pour mieux tirer à l'arc, son armée ainsi qu'une foule de prêtres, de devins, de musiciens, de chanteurs, d'artisans, de serviteurs de tous ordres. Dans une aile dont l'accès était hélas interdit ce jour-là, étaient groupés les tombeaux des rois, chacun reposant dans une case circulaire, coiffée d'un toit si bas qu'on ne pouvait y pénétrer qu'en rampant.

Après le déjeuner, nous eûmes droit à des danses et un concert de musique que je jugeai, quant à moi, totalement dépourvu d'âme, assemblé à des fins purement touristiques et commerciales. Une demi-douzaine de batteurs en casaques et pantalons bouffants rouges frappaient en désordre sur leurs tam-tam tandis que des danseurs exécutaient les figures les plus hétéroclites. Malgré cette médiocrité, l'assistance semblait comblée. Elle applaudissait à tout rompre, trépignait et hurlait sa joie.

Que signifiait l'Afrique pour ces touristes afro-américains ? Un dépaysement dans la dure quotidienneté de leur existence, délimitée par le racisme et entravée par la lenteur des progrès des droits civils. Dans quelques jours, ils allaient repartir pour Brooklyn, Washington D.C. ou Ames, Iowa, les yeux aveuglés de lumière, les oreilles bourdonnantes de sons et de rythmes, le palais enivré de saveurs inhabituelles. Des images quelque peu barbares et d'autant plus séduisantes flotteraient dans leur esprit. Ils se repaîtraient du souvenir du faste des défunts rois, oubliant délibérément les milliers d'anonymes, leurs ancêtres, qui avaient gémi au fond de la cale des négriers. Je ne pouvais communier avec eux. Pour moi, l'Afrique ne représentait ni un dépaysement ni une parenthèse dans mon existence. C'était le périmètre à l'intérieur duquel je me débattais depuis des années. Je venais de lire une interview d'une écrivaine afro-américaine, Paule Marshall. Voyageant au Kenya, elle ne cessait de répéter combien elle avait été touchée de s'entendre appeler « sister, sœur » par les Africains. S'il ne suffisait que de cela !

Les vendeuses quand je me rendais au marché, les chauffeurs de taxi, les petits commerçants qui offraient cigarettes et bonbons acidulés dans leurs guérites à l'angle de Flagstaff House m'appelaient ainsi. En fait, « sister, sœur » paraissait simplement une manière polie de dire « mademoiselle » ou « madame ».

La veille de notre retour à Accra, je me fis prier pour accompagner Amy et Maya à « L'Œil », une boîte de nuit où se produisait, disait-on, le meilleur orchestre du pays.

« Toi, une femme noire, tu n'aimes pas danser ! s'exclama Amy, outrée, pendant que Maya me regardait avec commisération. Tant pis pour toi ! Tu boiras une coupe de champagne avec nous. »

Le dancing était aussi un fructueux marché du plaisir. Les touristes des deux sexes en échange de quelques francs C.F.A. se procuraient chaussures à leur pied. Car c'était cela aussi l'Afrique pour ces visiteurs de passage. Des hommes réduits aux seules dimensions de leurs pénis, des femmes à la violence de leur sex-appeal. « L'Œil » était un endroit assez étrange. Fixée au plafond, un énorme boule de porcelaine blanche, striée de veinules violettes ou rouges, simulait un globe oculaire et déversait une lumière, tantôt verdâtre, tantôt jaune, tantôt orangée ou bleuâtre qui transformait les danseurs en inquiétants extraterrestres. Nous ne fûmes pas sitôt assises que des dizaines de mâles audacieusement moulés dans des pantalons de mince toile se jetèrent sur nous, sans même nous laisser le temps de vider nos coupes de champagne. Bientôt, mes compagnes, ravies d'être ainsi prises d'assaut, gloussaient de rire, se levaient pour danser et se frottaient sans vergogne contre ces corps en rut. J'étais bien empêchée de les imiter, car je n'ai jamais su séparer le plaisir de l'amour, le sexe du cœur. Pour faire l'amour, il me faut aimer, ou au moins m'imaginer que j'aime. Ces hommes-là ne m'attiraient pas. Mes amies étant pareillement occupées, je n'avais plus rien à faire à « L'Œil ». Il ne me restait qu'à regagner l'hôtel. Sourde aux sollicitations de quelques entêtés, je parvins à atteindre la sortie de la boîte.

Dehors, parfait contraste avec la frénésie de l'intérieur, la nuit était silencieuse, impériale, pénétrable. Pas un bruit, hormis le halètement feutré de la mer. Je distinguai dans le lointain le battement d'un tam-tam.

Le but de mon voyage était-il atteint ? Pour quelques jours, j'avais rompu avec mon ordinaire. J'avais « frotté et limé ma cervelle contre celle d'autrui ». Je me sentais prête à réendosser mes habits de forçat.

Si je ne devais jamais revoir Maya, je retrouvai Amy quand je m'installai à New York en 1995. Elle habitait Staten Island, une maison qu'elle tenait de sa mère. De son jardin rempli d'écureuils, on avait vue sur la statue de la Liberté. Nos destins avaient suivi un cheminement quelque peu similaire. Au cours d'un voyage sur le Joliba, elle aussi avait été frappée par l'extraordinaire beauté de la région. Depuis, elle tentait d'en restituer la magie à travers ses sculptures, souvent monumentales. L'une d'entre elles intitulée « Ségou » trônait dans un musée d'Art moderne en Espagne. Malheureusement, je ne l'ai jamais vue.

Quand je revins à Accra, Leïla manquait à l'appel.

Adeeza m'expliqua que l'enfant se plaignant d'une douleur à l'aine, elle l'avait emmenée à Korle Bu Hospital où le pédiatre avait diagnostiqué un abcès. On l'avait donc gardée et opérée. Tout s'était très bien passé. Mais quand, vingt-quatre heures plus tard, Adeeza était venue la chercher, elle s'était entendu dire qu'à la suite d'une épidémie découverte le matin même, les enfants étaient gardés en quarantaine.

Je fus effondrée.

N'était-ce pas le signe que Dieu ne voulait pas que je me sépare de mes enfants ?

« Lorsque l'enfant paraît… »

Victor Hugo

Quelques semaines plus tard, un coup de fil m'enjoignit de venir récupérer ma fille à Korle Bu Hospital. Leïla, qui sautait à la corde dans une cour avec une douzaine d'autres gosses, me regarda m'approcher d'elle sans aménité. Elle avait complètement oublié le français, en grande partie l'anglais et ne s'exprimait plus qu'en ga, une langue de la région d'Accra que seule Adeeza comprenait. Cela renforça encore le lien qui les unissait l'une à l'autre et je dépéris de jalousie. Au mois d'octobre, mes vacances au Dahomey n'étant plus qu'un lointain souvenir, les tensions entre les enfants et Kwame ayant recommencé de plus belle, je reçus une visite que je n'attendais pas : celle de Condé. Il est certain que mon comportement était des plus hypocrites. J'étais bien décidée à ne jamais reprendre la vie commune avec lui. N'empêche ! Régulièrement, je lui donnais de mes nouvelles et celles des enfants. Je n'avais jamais dénoncé notre projet de nous réunir dès que cela serait possible. Un après-midi, je crus rêver quand j'entendis sa voix si reconnaissable baragouiner en mauvais anglais dans le bureau voisin :

« Je cherche ma femme, Maryse Condé. C'est bien ici qu'elle travaille ? »

Je sortis en trombe de ma salle de classe. Les dactylos se retenaient de rire, car il était vêtu à la guinéenne d'un sarouel noir et d'une tunique à rayures brodée autour du cou. Je l'entraînai à la cafeteria au second étage, déserte à cette heure. Là, je dus bien avouer la vérité. Je ne vivais pas seule, mais avec un autre homme. Il n'avait plus de place dans mon existence. En m'écoutant, il ne manifesta aucune émotion et déclara simplement :

« Cela ne m'étonne pas. J'ai beaucoup hésité avant de venir. Je te connais tellement. Tu es menteuse, tellement menteuse. Tu ne m'aimes plus. D'ailleurs, tu ne m'as jamais aimé. »

À ce moment, je fondis en larmes. Larmes de honte. Larmes de remords. Car j'en étais consciente : j'avais usé et abusé de cet homme. Il me laissa pleurer sans tenter de me consoler, puis me tendit une de ces horribles enveloppes brunes guinéennes :

« Tiens ! Voilà la lettre que Sékou t'envoie. »

Le pauvre Sékou Kaba avait, quant à lui, avalé mes mensonges et se réjouissait à la pensée que notre famille était enfin réunie.

Je forme des vœux, écrivait-il, *pour qu'aidés de votre expérience, vous bâtissiez un avenir solide pour vous et vos enfants*.

« Je ne t'ennuierai pas plus longtemps, fit Condé se levant et se saisissant de sa valise.

— Où vas-tu ? » bredouillai-je, me doutant qu'il n'avait pas un sou en poche.

Il poursuivit avec dignité :

« Avant de disparaître de ta vie, je veux embrasser mes enfants. »

Nous prîmes place dans la Triumph.

« Tu as une jolie voiture ! commenta-t-il en accommodant ses longues jambes. Tu sais conduire à présent ? »

En effet, à Conakry, j'avais vainement passé les tests. Recalée à chaque fois. Trop nerveuse, me disaient les moniteurs. À ce souvenir, je fondis de nouveau en larmes. Le Ghana Institute of Languages était situé assez loin de la maison. Je parcourus le trajet à mon train habituel, évitant de justesse les camions, les autobus, les autres voitures particulières. Condé, silencieux, se cramponnait à côté de moi.

« Qu'est-ce que tu veux ? me demanda-t-il, terrifié, quand nous fûmes rendus. Me tuer ? C'est ça que tu veux ? »

À cette heure, les enfants jouaient dans le jardin. La joie stupéfiée qu'ils manifestèrent à revoir Condé, même celle d'Aïcha, si peu démonstrative d'habitude, me fit mal. Leur père leur avait-il donc tant manqué ? Ils se jetèrent sur lui, se battirent pour le couvrir de baisers, tirèrent la barbichette qu'il s'était laissé pousser.

« Papa doudou ! Papa chéri ! » chantonnait Sylvie d'une voix pâmée.

Pour des raisons que j'ai oubliées, Condé ne s'en alla pas ce jour-là. Il demeura plus d'une semaine avec nous. Après le dîner, les enfants envahissaient la chambre qu'il partageait avec Denis, riaient et bavardaient fort avant dans la nuit. Que pouvaient-ils se dire ? J'étais rongée de jalousie, Kwame, d'exaspération.

« Va les faire taire ! » m'enjoignait-il.

Quand j'entrais dans la chambre des enfants, leurs facéties me remplissaient d'un sentiment de culpabilité. Depuis longtemps, je ne les avais pas vus aussi gais, aussi détendus. N'osant troubler cette atmosphère ludique, je restais là, un sourire crispé sur les lèvres.

Ce temps-là fut un véritable enfer. Je déconseille à toute femme de partager un toit avec son ex-mari et son amant, car il ne s'agit pas d'un joyeux ménage à trois. Kwame traita Condé non pas comme un rival ou comme un complice. Il se comporta à son égard avec condescendance. C'était un intellectuel, un diplômé de la prestigieuse université d'Oxford, s'exprimant dans un anglais châtié face à un baladin, un vulgaire comédien. C'était un homme de haute naissance, face à un plébéien. On peut dire que deux Afriques étaient face à face. Curieusement, le mépris que Kwame manifestait à Condé rejaillissait sur moi, soulignant le caractère navrant de mon mariage. Le plus pénible, pourtant, c'est qu'il insistait pour que je demande à Condé le divorce et surtout, pour que je lui rende sans attendre les enfants. Lui qui n'avait jamais d'argent et pestait continuellement contre ses clients qui ne le payaient pas, il se déclara prêt à s'acquitter du coût de leurs billets de retour en Guinée.

« Je m'arrangerai avec ma banque ! » assura-t-il.

Chaque soir, il m'apostrophait :

« Lui as-tu parlé ? »

Sur mon bredouillement négatif, il montait dans sa voiture et disparaissait dans la nuit.

Condé s'embarqua enfin dans l'avion avec un considérable excédent de bagages. Dans une malle, j'avais entassé à l'intention de Sékou et Gnalengbè des boîtes de lait concentré, de café en poudre, de thé, de sardines, de saindoux, de margarine, de thon, de maquereaux, de sauce tomate, de biscuits, de riz, de couscous. Je parvins à garder les yeux secs en lui faisant mes adieux. Nous ne devions nous revoir que près de dix ans plus tard à Abidjan où, exilé, il avait dû se réfugier et chercher du travail. Comme je revenais de l'aéroport, consolant du mieux que je pouvais les enfants en larmes, Kwame me guettait de la terrasse :

« Je parie que tu l'as laissé partir sans rien lui dire ? » hurla-t-il.

Là-dessus, il se jeta dans sa voiture et fonça au dehors comme il avait coutume de le faire. Avec le recul, je crois le comprendre, lui à qui j'en ai tellement voulu. C'était encore un très jeune homme, nous avions tous les deux à peine plus de trente ans. Il était un avocat débutant, exerçant un métier difficile. Il n'avait nulle envie de débuter dans la vie avec quatre bouches à nourrir. Au plan affectif, il était sûrement jaloux de la place immense que les enfants occupaient dans mon cœur. Mais il manquait de doigté, de diplomatie et me brusquait continuellement.

En réalité, malgré moi, une idée cheminait lentement dans mon esprit : je comprenais que si je voulais « arriver à quelque chose dans la vie », selon l'expression consacrée, en finir avec la médiocrité dans laquelle je me débattais, je devais reprendre mes études. Comment y parvenir avec une pareille charge sur les bras ? Si ma mère avait été en vie, je lui aurais provisoirement confié mes enfants comme Eddy devait le faire quelques années plus tard, expédiant son fils Sarry en Guadeloupe afin de préparer librement des concours des Nations-Unies. Moi, j'étais orpheline, ne l'oublions pas. Alors, quel recours ? Dans mon désarroi, je songeais fréquemment à solliciter l'aide des Genoud qui désiraient adopter Aïcha. Cependant, ma terrible petite fille m'était trop chère et je ne menai jamais ce projet à exécution.

Ce séjour au Ghana fut certes très douloureux. Cependant c'est de cette époque qu'on peut dater la naissance de mes premières tentatives de créativité. Au Ghana Institute of Languages, j'avais la charge de deux classes d'une vingtaine d'élèves prétendument de niveau avancé. Je n'enseignais donc pas les premiers rudiments de la langue française et devais plutôt initier mes classes à l'art de la traduction. Je n'avais aucune qualité pour cela, aucune préparation à une discipline qui exige un solide métier. En plus, traduire m'assommait. En fin de compte, pour lutter contre l'ennui que m'inspirait cette manipulation des textes, je réunis des extraits de mes propres lectures dont je me chargeais de « faire sentir » la beauté. Je ne possède plus d'exemplaires de ce recueil. Je crois me souvenir que cet ensemble des plus hétéroclites réunissait surtout des poèmes : d'Aimé Césaire, de L.-S. Senghor, d'Apollinaire, de Rimbaud, de Saint-John Perse ainsi que des *Pensées* de Pascal, de larges extraits de Frantz Fanon et de la Bible. Tel qu'il était, il enchanta si fort Roger qu'il le fit imprimer. Dans le jardin de l'institut, il organisa une party pour saluer sa parution. Comme au Ghana, tous les prétextes étaient bons pour boire et faire la fête, deux cents personnes piétinèrent le gazon.

« Vous voilà écrivain ! » jubilait Roger.

C'était la première fois que je voyais mon nom imprimé en couverture d'un ouvrage. Cela ne me procura aucune joie. Au contraire. Cela m'inspira une sorte de peur et d'embarras, sentiments que je ressens aujourd'hui encore quand, lors des signatures, je suis confrontée à une pile de mes romans. Dans le même temps, Lina qui éprouvait pour moi, sans que je comprenne pourquoi, la plus vive admiration, me recommanda à la Ghana Broadcasting Corporation. Une de ses amies, Mme Attoh-Mills, y travaillait et voulait mettre sur pied une émission hebdomadaire consacrée aux femmes. Rien d'original, on s'en doute ! Du cuit et recuit ! Il s'agissait d'interviewer des personnalités féminines sur la manière dont elles parvenaient à mener de front carrière individuelle, soins à un mari et devoirs de mère. J'acceptai par égard pour Lina. Je ne pouvais prévoir le bien-être, j'ose dire le bonheur, que j'éprouverais protégée dans un studio de radio comme dans l'utérus de ma mère à découvrir comment d'autres femmes réussissaient là où je ne cessais d'échouer. Je me rappelle un entretien particulièrement intéressant avec la dramaturge Efua Sutherland. L'émission fut interrompue après trois mois, faute de moyens. Pourtant, j'avais planté mes crocs dans un plat dont je n'oublierai plus la saveur. Pendant des années, je fus un des piliers de l'émission « Mille Soleils » de Jacqueline Sorel à RFI.

Si je tente d'expliquer cette naissance de ma créativité, je n'y vois qu'une explication. Je retrouvais insensiblement une certaine confiance en moi. Je n'allais plus, enfermée dans l'obsession de mes manques et de mes échecs. L'affection que me portaient Roger et Jean m'était viatique, potion régénératrice. Ils étaient tellement persuadés de mes qualités intellectuelles que je finissais par y croire. En outre, l'exubérante vitalité d'Accra me pénétrait. Au Ghana Institute of Languages, les étudiants se pressaient dans mes classes. Mes cours commençaient de devenir le forum d'idées qu'ils ont été par la suite.

Un jour dans la cour de la Maison de la Radio, je fus approchée par deux jeunes inconnues :

« Est-ce que vous êtes Maryse Condé ? me

demandèrent-elles. Nous voulions vous connaître, car nous adorons vos émissions. »

C'était la première fois que j'entendais de telles paroles. J'en fus bouleversée.

C'est alors que je vécus une étrange expérience. J'étais seule, les enfants endormis, Kwame, Dieu sait où. Autour de la maison, le jardin était plongé dans l'ombre et le silence. Brusquement, le présent s'anéantit cependant que des évènements surgis de mon ancienne vie en Guadeloupe, à Paris, en Guinée tournoyaient autour de moi et revenaient m'investir avec intensité : l'abandon de Jean Dominique, la mort de ma mère, le « complot des enseignants » et les fillettes terrifiées massées dans la cour du collège de Bellevue. Je revoyais aussi Hamilcar Cabral au « Jardin de Camayenne », riant en m'entraînant de force sur la piste : « Les Révolutionnaires s'encanaillent ! » s'exclamait-il.

J'aurais voulu conférer à ces moments une forme de vie que le temps ne pourrait pas détruire. Comment y parvenir ? Je ne le savais pas.

Je crois que ce fut là ma première tentation d'écrire. Pourtant, je ne compris pas qu'il fallait tenter de mettre sur papier ces impressions, ces sensations. Cela demeura une expérience inexplicable et quasi mystique.

« La mémoire aux abois »

Evelyne Trouillot

Cependant, la vie continuait son train de mégère boiteuse, alternant les nuits de passion, les journées de déprime, les heures studieuses quand se produisit un évènement considérable qu'à aucun moment, nous n'avions prévu.

Un matin, vers quatre heures, le 24 février 1966, date qui entra dans l'histoire, nous fûmes réveillés, Kwame et moi, par des bruits énormes : coups de canon, salves d'artillerie et hurlements. Terrifiés, les enfants se précipitèrent dans notre chambre, bravant les interdictions de Kwame qui n'eut pas le cœur de les chasser. Pendant quelques instants, nous nous tînmes cois, serrés les uns contre les autres. Puis, prudemment, Kwame et moi, nous aventurâmes sur la galerie. Après le vacarme qui nous avait assourdis, tout était redevenu silencieux. Mais au-dessus des magnolias du jardin, le ciel était orange.

Vers six heures, la télévision nous annonça qu'un coup d'État militaire avait renversé le président de la République. Pour la première fois, nous entendîmes prononcer les noms du colonel Kotoka et du lieutenant général Afrifa qui en étaient les auteurs. Médusés, nous les vîmes apparaître sur l'écran, deux hommes jeunes, tout à fait quelconques, vêtus d'uniformes. Ils expliquèrent les raisons de leur acte. Elles tenaient en cinq mots : Kwame Nkrumah était un dictateur.

Chacun était prié de vaquer comme à l'habitude à ses occupations. Par mesure de sécurité, un couvre-feu était déclaré, les écoles et l'université fermées. Vers huit heures – Dieu ! Que le temps marchait lentement en pareils moments ! – des bruits de char s'élevèrent. Laissant les enfants à la garde d'Adeeza et de Kwobena, un jeune frère de Kwame qui souvent passait la nuit chez nous, Kwame et moi nous nous aventurâmes dehors, à pied. À partir de Flagstaff House, on ne pouvait plus circuler. Toutes les artères avoisinantes étaient remplies d'une foule en liesse. Des cortèges d'hommes et de femmes dansaient frénétiquement, le visage peinturluré en blanc, couleur de la victoire, je le sus par la suite. Ce flot humain nous porta au centre de la ville. Là, la statue de celui que, deux jours plus tôt, on traitait comme un dieu gisait par terre en mille morceaux que des fanatiques piétinaient encore. Je ne pouvais en croire mes yeux. Je n'ignorais pas qu'il existait une opposition de plus en plus vive à Kwame Nkrumah. Ainsi, dans de grands journaux anglais, Conor Cruise O'Brien lui reprochait de s'entourer de sycophantes matérialistes et corrompus, peu soucieux du bien-être de leurs peuples et surtout de ne pas respecter les droits élémentaires, la liberté d'expression en particulier. Un de ses ministres, Krobo Edusei, n'avait-il pas acquis un lit en or ? De plus en plus nombreux étaient ceux qui lui reprochaient la brutalité de ses réformes en ce qui concernait la religion et les pouvoirs traditionnels. On le blâmait surtout de transformer son pays en havre de grâce non seulement pour les militants anticolonialistes engagés dans un juste combat tels ceux du FLN algérien, mais pour des opposants à des régimes démocratiquement élus baptisés à tort ou à raison de « fantoches » ou de « valets de l'impérialisme ». Je n'avais pas vraiment d'avis. Il me paraissait essentiel, pourtant, que le Ghana n'abrite pas de camps de prisonniers politiques. Il me semblait que le peuple ne manquait de rien, que son niveau de vie, en progression constante, était un des plus élevés de l'Afrique subsaharienne. Alors pourquoi cette liesse ? Je me rappelai les propos de Louis Gbéhanzin qui autrefois m'avaient tellement choquée :

« Il ne faut pas croire que le peuple soit naturellement paré pour la Révolution. Il faut le forcer. »

Nous nous arrêtâmes chez Roger et Jean dont la villa était pleine de l'habituelle foule d'écrivains et d'artistes, cette fois le maintien endeuillé. J'en fus d'abord surprise, mais je compris très vite. Le sentiment qui soudain régnait était celui de l'angoisse et de la peur. Tous ces gens qui, comme Roger, n'avaient pas cessé de critiquer Kwame Nkrumah, se demandaient quel serait l'avenir du pays entre les mains de ces Kotoka et Afrifa inconnus. Après tout l'Osagyefo ne méritait pas d'être si brutalement déposé. En fait, il n'y avait que Kwame Aidoo à afficher une pleine satisfaction.

« Enfin, ce pays va renaître ! jubilait-il. Finis l'intolérance et le favoritisme. »

Personne ne relevait. Les Genoud n'avaient jamais beaucoup apprécié Kwame, je le sentais. Mais par égard pour moi, ils avaient toujours gardé leurs sentiments pour eux. Ce fut seulement lors d'une de mes visites en Suisse, peu avant sa fin prématurée d'une leucémie, que Roger me confia :

« Cela nous faisait mal à Jean et moi de vous voir avec un type pareil. Nous nous demandions ce que vous trouviez à ce bourgeois plein de lui-même. D'accord, il était beau. Mais est-ce que cela suffit ? »

Que voulez-vous ! On ne peut jamais renier ses origines ! Je ne pouvais oublier que je sortais moi-même d'arrogants petits-bourgeois. Et puis, peut-être n'étais-je pas aussi intelligente que mes amis le croyaient. Sinon, ma vie aurait-elle été un tel chaos ?

Vers le début de la soirée, la télévision nous apprit que Kwame Nkrumah s'était réfugié à Conakry où Sékou Touré lui avait offert la coprésidence de la Guinée.

« A-t-il consulté son peuple à ce sujet ? » demanda Kwame Aidoo délibérément provocateur.

Cette fois encore, personne ne lui répondit. Avouons pourtant qu'il avait marqué un point.

Le 26 février, allongée sur la galerie, je lisais aux enfants, dont l'école était toujours fermée, un roman d'Enid Blyton quand à mon grand étonnement deux voitures de police et un fourgon cellulaire, une « Black Maria » comme on la dénomme à cause de sa silhouette singulière, mi-corbillard, mi-camionnette de livraison, entrèrent dans le jardin. Les portières claquèrent, une douzaine de policiers se ruèrent en avant et s'approchèrent de moi. L'un d'entre eux, visiblement le chef, gros, courtaud, coiffé d'une casquette plate, ouvrit une chemise, en tira un imprimé et me demanda cérémonieusement :

« Vous êtes Maryse Condé, née le 11 février 19**, de nationalité guinéenne ? »

J'allais rectifier que j'étais née en Guadeloupe, et par conséquent de nationalité française quand me revint à l'esprit que je possédais un passeport guinéen. J'acquiesçai donc.

« Au nom du gouvernement provisoire de la république du Ghana, je vous arrête ! poursuivit l'officier de police.

— Pourquoi ? » bredouillai-je ahurie.

Sans me répondre, il fit un signe à ses acolytes qui, vite fait, bien fait, me menottèrent, m'entravèrent les deux jambes et me traînèrent sans ménagement vers le fourgon. Là-dessus, les enfants se mirent à hurler et c'est dans cette complète cacophonie que les voitures démarrèrent.

« Va dire à Kwame que j'ai été arrêtée ! » eus-je le temps de hurler à Adeeza, estomaquée, surgie sur la galerie.

Dans plusieurs de mes romans, de *Heremakhonon* à *En attendant la montée des eaux*, un de mes personnages effectue un trajet en fourgon cellulaire. En effet, pareil souvenir est inoubliable. Il me hante encore. On croit que brutalement, l'existence est terminée, qu'on ne sortira jamais de cet espace resserré où un faible jour ne pénètre que par un carreau grillagé. On croit qu'il n'y a plus d'avenir, que c'en est fait de la liberté, de la lumière et que vivant, on est enfermé dans son cercueil et conduit on ne sait où. Ce n'est pas de la peur que l'on éprouve, mais une dissolution de la personnalité, la conviction de ne plus appartenir au monde. Le trajet du fourgon me parut interminable. Quand deux policiers m'en firent brutalement sortir, je me trouvai dans un quartier que je ne connaissais pas. On me poussa vers un immeuble de béton flambant neuf, le Centre de Détention Albert Luthuli. Dans la rue défoncée, encombrée de toutes sortes de détritus, insouciants, des gamins jouaient au ballon. J'avais envie de leur crier :

« Faites quelque chose ! Vous ne voyez pas ce qui m'arrive ? »

Les policiers me firent entrer dans la cour du centre, puis monter une série d'escaliers, ce qui était fort malaisé avec mes entraves. Nous entrâmes ensuite dans un cachot sans fenêtres, meublé d'un grabat sur lequel je m'assis. Je demeurai prostrée dans le noir pendant des heures. Comme j'étais sur le point d'uriner sur moi, la porte s'ouvrit et deux femmes entrèrent, étonnamment joviales, maternelles qui libérèrent mes poignets et mes jambes.

« Ça va mieux comme ça, hein, baby ? » me sourit l'une d'entre elles.

Elles étaient affublées de curieux uniformes de toile noire, parsemés d'énormes taches blanches. J'appris qu'elles faisaient partie d'un corps de gardiennes de prison spécialement créé pour la promotion féminine et qu'on les appelait communément « les femmes léopards ». Celle qui me conduisit jusqu'à des chiottes puantes m'expliqua le chef d'accusation contre moi : j'étais une espionne à la solde de Kwame Nkrumah qui venait de rejoindre le pays ennemi de Guinée. Je n'eus pas le cœur à rire de telles stupidités. On ne rit pas, on n'a pas le sens de l'humour quand on est dans le malheur. Je ne sais comment, la nouvelle avait déjà fait le tour du centre que j'avais été séparée de mes quatre jeunes enfants. Aussi, je fus bientôt chouchoutée par toutes les « femmes léopards ». Celle qui poussait le chariot du repas me servit une double ration à laquelle je ne pus toucher. Pendant les quatre jours et quatre nuits que je passai dans ce centre de détention, je m'aperçus de nombreuses anomalies. C'était bien le Ghana. L'argent pouvait tout y acheter. Quelques cedis, quelques pesewas et les petits déjeuners s'agrémentaient d'une corbeille de fruits rafraîchis. Quelques billets en plus, et au repas de midi, une délicieuse sauce-feuilles était servie. On pouvait même se procurer du vrai whisky écossais et non de l'ersatz local. Bien que je n'aie pas un sou, mes geôlières étaient prêtes à me faire crédit et se désolaient que je ne veuille de rien. Je ne pouvais ni boire ni manger. Je ne savais qui me manquait le plus, de Kwame ou de mes enfants. Par moments, j'étais convaincue de ne jamais les revoir. À d'autres, je reprenais espoir. Le gouvernement provisoire ne pouvait être stupide au point de me prendre pour une espionne. Le matin du quatrième jour, alors que je touchais le fin fond du désespoir, des soldats entrèrent dans ma cellule. L'un d'eux m'annonça que j'étais libre. « Mon avocat », me dit-il, m'attendait au parloir.

Je faillis me rompre le cou en descendant les escaliers quatre à quatre. Kwame m'attendait, vêtu de sa solennelle robe noire. Les yeux rougis, il semblait infiniment triste et m'embrassa mollement. Pourquoi ce manque de chaleur ? N'étais-je pas libérée ? N'allais-je pas retourner chez moi ? Notre vie n'allait-elle pas recommencer ?

Je ne pus répondre aux salutations des « femmes léopards » qui, massées dans la cour, m'ovationnaient comme une star, car, prenant mon bras, il m'entraîna vivement jusqu'à sa voiture. Là, il m'expliqua la situation :

« À cause de tes liens avec la Guinée, tu es accusée d'espionnage.

— Je sais, je sais. Mais c'est ridicule ! m'exclamai-je. Cela ne tient pas debout.

— Peut-être ! Et pourtant à cause de cela, tu es expulsée du Ghana ! »

Expulsée !

« Tu dois quitter Accra dans les vingt-quatre heures. C'est tout ce que j'ai pu obtenir.

— C'est insensé ! »

Brusquement, il fondit en larmes. De toutes les images entassées dans le chaos de ma mémoire, je chéris particulièrement celle-là : l'arrogant, l'intraitable Kwame Aidoo, le *barrister at law*, éduqué à Oxford, si fier de son impeccable accent anglais et de ses origines patriciennes, les épaules secouées de sanglots, le visage appuyé contre le volant de sa voiture, pleurant à chaudes larmes à cause de mon départ. Je le pris dans mes bras comme une mère son enfant qu'elle console. Surprise des surprises, je gardais les yeux secs. Je ne sais pas si je souffrais. Interdite, je tentais de comprendre le sens de ces trois syllabes barbares : ex-pul-sée et n'y parvenais pas. Mon esprit était comme gourd.

Pendant les brèves heures qui suivirent, ce fut un peu comme lorsque j'avais quitté la Guinée. Ma maison ne désemplit pas. S'y pressèrent des gens que je connaissais à peine qui habitaient le voisinage, des amis de Kwame que j'avais croisés une ou deux fois, des parents, la famille d'Adeeza. Cependant, cette fois, je ne me demandai pas ce que signifiaient ces visites massives. J'avais compris. Il ne fallait surtout pas les considérer comme un désaveu du coup d'État militaire et des décisions de la junte au pouvoir. Encore moins comme une marque d'attachement à ma personne. C'était un rituel que pratiquaient les sociétés africaines dans certaines situations. Quand quelqu'un quittait le pays ou quittait la vie. Quand quelqu'un se mariait. Lors d'une naissance. Les gens étaient habillés de couleur sombre, certains carrément vêtus de noir, le visage triste et fermé. Ils m'offraient des cadeaux. Des habits pour les enfants. Des disques de high life. Des pagnes tissés. Les cousins de Kwame, Alex et Irina Boadoo, arrivèrent au volant de leur Porsche. Elle portait une robe rouge, extravagante, décolletée jusqu'au bas du dos. Alex brandissait des bouteilles de champagne. En guise de toast, levant son verre, il déclara :

« Kwame est le meilleur avocat du pays. Il te tirera de là. Bientôt, tu reviendras parmi nous au Ghana. »

D'une certaine manière, Kwame avait prouvé ses qualités. Il était parvenu à me faire libérer après quatre jours de détention alors que mes amis, Roger et Jean Genoud, Lina Tavares, Bankole Akpata, El Duce... croupissaient en prison en attendant qu'on statue sur leur sort. Ils y passèrent de longs mois avant d'être finalement déportés. Au milieu des applaudissements de l'assistance, Alex descendit dans le jardin verser les libations traditionnelles à la terre.

L'avion de la Black Star Line décollait à sept heures du matin. Je serais certainement devenue folle de douleur d'être séparée de Kwame sans savoir si j'allais le revoir si un évènement inattendu et qui revêt à mes yeux une portée symbolique n'était venu accaparer mon esprit. Vu le caractère précipité de ce départ, nos bagages avaient été faits à la va-vite. Chacun des enfants, même Leïla, succombait sous le poids d'un assemblage hétéroclite de sacs, paniers, mallettes. J'avais entre autres confié à Denis un volumineux porte-documents de cuir noir. À peine eut-il trouvé son siège qu'il s'aperçut qu'il ne l'avait plus. En hâte, je redescendis avec lui dans la salle d'attente que nous venions de quitter. Nous eûmes beau regarder sous les sièges, le porte-documents demeura introuvable. Le personnel de nettoyage l'aurait-il jeté aux ordures ? Nous fouillâmes les poubelles. En vain. Un employé ou un passager malhonnête l'aurait-il volé ? Quand je demandai à déposer une plainte auprès du directeur de l'aéroport, les employés me firent observer que je n'en avais plus le temps. Je risquais de rater le vol. En effet, Denis et moi, nous eûmes à peine le temps de remonter dans l'appareil que l'équipage ferma les portes. On comprendra mieux mon émotion quand on saura que ce porte-documents contenait mes albums de photos : instantanés de mes défunts parents, de mes frères, sœurs et moi à tous âges. Mes parents avaient une passion pour la photographie, témoin fidèle de leur ascension sociale. La pellicule fixait leur voiture conduite par un chauffeur en livrée de drill khaki, leurs maisons de plus en plus imposantes, les bijoux de plus en plus somptueux de ma mère. Je décris dans *Le Cœur à rire et à pleurer* une photographie perdue comme les autres qui est restée gravée dans mon souvenir :

« Mes frères et sœurs en rang d'oignons. Mon père, moustachu, vêtu d'un pardessus à revers de fourrure façon pelisse. Ma mère, souriant de toutes ses dents de perle, ses yeux en amande étirés sous son taupé gris. Entre ses jambes, moi, maigrichonne, enlaidie par cette mine boudeuse et excédée que je devais cultiver jusqu'à la fin de l'adolescence. »

J'étais effondrée. Ainsi, l'Afrique ne se bornait pas à me rejeter. Elle me dénudait. Non seulement, elle me prenait mon homme. Mais, elle annihilait mon passé, mes références, en un mot, elle détruisait mon identité.

Je n'étais plus rien.

« … This earth. This realm. This England »
Richard II

William Shakespeare

Si l'on m'avait prédit que quelques années plus tard, j'épouserais un Anglais et que je finirais par chérir son pays, j'aurais pris cela pour une blague de mauvais goût. Car lorsque je débarquai à Londres, je la haïs de toutes mes forces, cette ville. Le soleil se comportait comme un véritable Roi Fainéant, levé longtemps après midi, dissimulé quand il daignait apparaître derrière de lourdes draperies grises. Dès quatre heures de l'après-midi, il faisait nuit noire et on cheminait dans une pénétrante froidure qui glaçait jusqu'à l'âme.

Je n'aimais pas beaucoup le Ghana, pénétré du temps que j'y vivais d'une frénésie vulgaire. Ajumako excepté, il ne figure jamais dans mes écrits. Cependant la séparation fut des plus cruelles. C'était comme si je perdais ma mère une seconde fois. J'hallucinais. Des pans de soleil flottaient sous mes paupières, l'odeur de la lumière emplissait mes narines. Je me croyais dans la cour du fort de Cape Coast, sous les fenêtres de l'Asantehene à Kumasi ou bien prenant un verre à la terrasse du Grand Hotel d'Accra. J'avais peur de me réveiller et de voir s'étirer une mesquine rue londonienne, butant sur un métro qu'envahissaient les travailleurs urbains. Dire que Kwame me manquait est un euphémisme. En ce temps-là, n'existaient ni courriels, ni sms, ni textos, ni Facebook, ni Twitter. Même les liaisons téléphoniques, qui étaient coûteuses et malaisées. Je lui écrivais chaque jour, ou plutôt plusieurs fois par jour, essayant par de pauvres mots de lutter contre ma douleur, de combler le vide dans lequel j'avais sombré. J'allais porter mes volumineuses missives dans un bureau de poste où deux sœurs aux cheveux argentés vendaient aussi des rouleaux de réglisse et de la mercerie. Elles faisaient la grimace en maniant mon courrier :

« C'est bien lourd, honey ! Première classe ? Ça va vous coûter les yeux de la tête. »

Je n'étais pas la seule à dépérir. Leïla qui ne supportait pas l'absence d'Adeeza refusait de s'alimenter et la réclamait de jour comme de nuit. Sa petite voix plaintive déchirait mon cœur, déjà tellement endolori :

« Deeza ! Je veux Deeza ! »

Les autres enfants, y compris Aïcha, étaient moroses et sans entrain.

On se demande certainement pourquoi j'avais atterri en Angleterre. Ce n'était pas un choix personnel. Ayant refusé d'être renvoyée en Guinée et les lois du Ghana ne me permettant pas d'être expulsée vers la France, il n'y avait pas d'autre solution. En Angleterre, mes bons Samaritains eurent nom Walter et Dorothy. Ces amis de Kwame formaient un couple peu commun. Lui, efféminé comme certains aristocrates anglais, était un journaliste de renom, qui avait profusément écrit sur le Nigeria où il avait passé de longues années. En particulier, un de ses livres avait prévu la guerre du Biafra qui allait éclater en 1967 et meurtrir la région pendant des années. Elle était brune, sensuelle et pleine de feu. Ils étaient venus nous chercher à l'aéroport et nous avaient conduits dans le pavillon d'un certain M. Jimeta, diplomate nigérian, parti en congé au pays. Je n'avais jamais vu de quartier pareil à celui où il habitait avec ses rangées de maisons en briques, semblables les unes aux autres à s'y tromper, certainement vastes et confortables à l'intérieur, mais donnant une terrible impression de tristesse. Étant donné leur sens de l'humour, les Anglais étaient les premiers à railler cette uniformité. On racontait qu'un homme au sortir du bureau rentrait chez lui, s'installait dans son living-room pour regarder la série télévisée *Coronation Street*, passait à table et avalait son repas les yeux fixés sur son quotidien. C'est seulement au moment de se mettre au lit qu'il s'apercevait que la femme avec laquelle il s'apprêtait à faire l'amour n'était pas la sienne. Il s'était simplement trompé d'adresse.

En face de nous, habitait une Indienne, Mme Pandit. Chaque quatre heures, elle traversait la rue pour boire avec moi « *a nice cup of tea* », une bonne tasse de thé, le breuvage qui, comme le quinquéliba guinéen, guérit tout. À chaque fois, elle en profitait pour me mettre en garde : « Attention ! Préparez-vous ! Les Anglais nous haïssent et nous méprisent ! » martelait-elle.

Le racisme était pour elle un sujet inépuisable. Elle déblatérait là-dessus pendant des heures tandis que je l'entendais à peine. Walter et Dorothy, quant à eux, possédaient une énorme maison à Golders Green. Ils y élevaient leurs cinq enfants de la manière la moins conformiste qui soit. Par exemple, ils se baladaient nus et faisaient éventuellement l'amour devant eux.

Bien que l'on puisse trouver à redire à leurs méthodes d'éducation, je leur garde une reconnaissance éternelle. Aidés d'Esther, leur servante nigériane, en quelques semaines, ils rendirent le sourire et le goût du jeu à mes enfants dont j'étais absolument incapable de m'occuper. Grâce à eux, cette si brutale transplantation n'eut pas de conséquences dévastatrices. Leïla cessa de réclamer Adeeza. Denis allait jusqu'à m'interroger courtoisement quand j'avais fini de lire et relire mon courrier :

« Comment va M. Aidoo ? »

Sur proposition de Walter qui comptait énormément de relations dans la presse et après un entretien des plus succincts avec un groupe de journalistes, je fus embauchée moyennant un salaire confortable à la prestigieuse *British Broadcasting Corporation*, à Bush House. Là, les programmes étaient diffusés en direction de l'Afrique. Après le retour du Nigeria de M. Jimeta, je pus emménager dans un appartement situé dans le quartier agréable, un peu rural de Highgate. Un travail, un logement ! À mon insu, la vie s'organisait autour de moi.

Dans ma lassitude, en guise de rideaux, je suspendis sommairement des pagnes ghanéens aux fenêtres de mon nouvel appartement. Immédiatement, je reçus du syndic une lettre comminatoire accompagnée d'une pétition des locataires. J'étais sommée d'enlever ces oripeaux qui dégradaient la valeur de l'immeuble. J'étais aussi accusée de ne pas placer mes poubelles dans les réduits destinés à cet effet et de parsemer les couloirs de mon étage d'ordures pestilentielles. Moi qui ne fumais pas, j'étais déclarée responsable de brûlures dans les tapis et les feutres de la salle de loisirs commune que mes enfants salissaient. Ma musique « barbare », alors que je n'écoutais pratiquement que du classique, dérangeait mes voisins. Le syndic se voyait dans la pénible obligation d'entamer une procédure d'expulsion contre moi.

Paradoxalement, cet injuste harassement me fit sortir de mon apathie. L'Angleterre n'était pas le Ghana où tout était possible et permis. Depuis « Magna Carta », ce pays s'était doté de lois qui protégeaient le citoyen. Je pris un avocat qui empêcha mon éviction. Seule concession, je dus remplacer mes pagnes colorés par des rideaux de couleur sobre, lie-de-vin, achetés à Selfridges. Désormais, mes colocataires me laissèrent en paix. Mais, ils me traitèrent comme une pestiférée. Personne ne me donnait ni le bonjour ni le bonsoir. Les visages se fermaient, les conversations s'arrêtaient quand j'entrais dans l'ascenseur. À maintes reprises, ma boîte aux lettres fut vandalisée et mon courrier éparpillé. Ajoutons à cela les histoires effroyables que me racontaient les enfants sur la manière dont ils étaient traités à l'école :

« Personne ne veut s'asseoir à côté de nous ! »

« On dit que nous sentons mauvais ! »

« On nous appelle "macaques" ! »

Leïla commençait de hurler dès qu'on sortait de l'appartement le matin et continuait tout le temps que nous traversions le parc de Highate.

Ah non ! La vie n'avait pas bon goût ! Heureusement, il y avait mon travail qui m'insufflait quelque énergie. Pour la première fois, moi qui ai toujours détesté l'enseignement, j'aimais ce que je faisais. « Le journalisme mène à tout, dit Alphonse Allais. À condition d'en sortir. »

Les programmes de Bush House étaient assurés par des journalistes africains compétents : Joseph Sane du

Sénégal, François Itoua du Cameroun, entre autres. Nous devions intéresser nos auditeurs à certains éléments de la vie culturelle anglaise. Nous avions le choix, car « Swinging London » regorgeait de créateurs de tous bords, de toutes couleurs, de toutes nationalités. Ce fut mon premier contact avec la « diversité culturelle » qui ne s'appelait pas encore ainsi. J'interviewais les romanciers et poètes sud-africains, tels Alex la Guma et Dennis Brutus qui tenaient le haut du pavé. Je passai une soirée éblouissante avec Wole Soyinka dont je connaissais en partie le théâtre. De là, date une amitié manifestée les trop rares fois où nous nous sommes rencontrés, en particulier lorsque j'enseignais à Harvard. Nous découvrîmes que nous étions nés la même année et nous décidâmes de nous appeler « frère » et « sœur ». La houle du reggae s'apprêtait à déferler sur le monde et dans les salles de concert bondées de Soho, j'étais au coude à coude avec ceux qui se passionnaient pour cette nouvelle musique. Les réceptions de Walter et Dorothy étaient aussi des happenings cosmopolites. S'y côtoyaient des caricaturistes indiens, des danseurs japonais, des peintres indonésiens sur batik. Jan Carew, le romancier guyanais, avait lui aussi vécu au Ghana, mais nos chemins ne s'y étaient jamais croisés. Son roman *Moscow is not my Mecca* (1964) était le sujet de toutes les conversations. Il l'assortissait de tirades passionnées qui me rappelaient celles d'Hamilcar Cabral.

« L'expression "socialisme africain" est un non-sens ! tonitruait-il au milieu d'un cercle de sceptiques. Le socialisme est une construction politique bien précise qui vise à la destruction des privilèges et à l'avènement de la société sans classe. L'Afrique traditionnelle ne fonctionnait que sur des différences, des inégalités acceptées. »

Au mois de septembre, je m'inscrivis à l'université de Londres à deux cours sur l'Afrique, un cours d'histoire du colonialisme, un cours de sociologie du développement. Ils m'ennuyèrent l'un comme l'autre. Dans la bouche des professeurs, pourtant deux sommités universitaires (mais des contre-révolutionnaires, aurait-on dit en Guinée avec mépris), l'Afrique perdait tout caractère vibrant et vivant. Elle devenait une matière inerte et molle que chacun des enseignants triturait à sa convenance. C'est de ce moment que j'entendis avancer, sans en être vraiment convaincue, la thèse récemment débattue avec violence en France selon laquelle l'esclavage des Arabes avait été en fin de compte plus nocif pour l'Afrique subsaharienne que celui pratiqué par les Européens. Déçue par l'Université, je tentai alors de m'inscrire à la London School of Economics. Malheureusement, mon niveau d'études d'alors ne me donna droit qu'au statut d'auditrice libre dans la section « Pays en voie de développement ». Curieusement, ces cours souvent arides, mais basés sur des faits, des chiffres, des statistiques satisfaisaient mieux ma quête de la vérité et me convenaient davantage. Je regrettais amèrement d'être condamnée au silence et de ne pouvoir présenter d'exposés. L'envie de m'inscrire à un cours de littérature anglaise me démangeait. Néanmoins, j'eus le bon sens de comprendre que mon emploi du temps, déjà chargé, ne me permettait pas de l'envisager.

Cependant, à Bush House – honneur inattendu ! –, on me confia la rédaction d'un billet hebdomadaire où je peignais la société anglaise telle que je la voyais. Je me rappelle en avoir rédigé un sur la manière dont les Anglais chérissent leurs *pets*, animaux domestiques, qu'ils semblent préférer à leurs semblables. J'étais de plus en plus souvent invitée à des tables rondes, à des colloques où je donnais mon avis sur la culture ou la politique africaines. Ces manifestations avaient lieu à « Africa House ». Outre des salles de conférences et de cinéma, l'immeuble abritait des magasins où on vendait des pagnes, des tentures, des masques, des colliers de perles. Ce qui me chagrinait, c'est que mes opinions personnelles déplaisaient, choquaient même. Je dus, une fois, tenir tête à une salle furieuse parce que j'avais déclaré, plaisamment, croyais-je, que l'Afrique ne m'avait jamais considérée comme sa fille, tout au plus comme une cousine au comportement un peu étrange. Je m'en apercevais à mes dépens, certains sujets ne devaient être abordés qu'avec un sérieux extrême. En ce qui les concernait, personne ne tolérait ni humour ni ironie qui étaient pour moi les seules manières de relater les expériences si dures, si traumatisantes que j'avais vécues, sans larmoyer sur mon sort. Le tollé avec lequel mes propos étaient accueillis à chaque fois ne m'incitait pas pour autant à garder un silence prudent. Au contraire. J'y allais plus fort. En même temps, paradoxalement, je souffrais de la réputation qui se tissait autour de mon nom. Cette réputation, au contraire, enchantait Walter et Dorothy. Ils se frottaient les mains avant chaque party, assurés de quelque confrontation houleuse entre un des invités et moi :

« Vous êtes une provocatrice-née. »

Je n'en revenais pas. La vérité est-elle donc provocatrice ? Je l'avais oublié depuis le fameux anniversaire de ma mère où je lui avais dit ce que je pensais d'elle. Je recevais un nombre incroyable de visiteurs, venus sous le prétexte de discuter de la Guinée, du Ghana, de l'avenir de l'Afrique, en réalité pour m'entendre proférer quelque incongruité. Ama Ata Aidoo, qui pourtant haïssait l'Angleterre, vint passer quelques jours avec moi. Elle revenait du Canada où Roger Genoud occupait un poste important à l'université McGill.

« Ils ne se plaisent pas à Montréal, faisait-elle. Ils regrettent le Ghana. »

Comme nous tous. Roger commençait de souffrir du mal qui allait l'emporter et elle s'inquiétait :

« Il a constamment de ces fièvres ! 40 et plus ! Est-ce un paludisme qui ne le lâche pas ? »

La dramaturge enfant gâtée s'était transformée en une solide féministe. Elle donna à « Africa House » une conférence passionnante sur le rôle de la femme dans le développement africain, sujet qui n'était pas encore rabâché.

Nos discussions avaient souvent l'acrimonie de véritables querelles :

« L'Afrique n'est ni impénétrable ni indéchiffrable comme tu le dis ! me rudoyait-elle. Elle possède des règles, des traditions, des codes, faciles à saisir. C'est que tu y cherches tout autre chose.

— C'est-à-dire ? »

Elle se penchait en avant pour mieux marteler sa réponse :

« Une terre faire-valoir qui te permettrait d'être ce que tu rêves d'être. Et sur ce plan, personne ne peut t'aider. »

Je ne suis pas loin de penser aujourd'hui qu'elle disait vrai.

Un jour, Denis Duerden qui dirigeait une association caritative m'emmena un tout jeune Guadeloupéen qui préparait sa maîtrise : Daniel Maximin. Notre amitié, née à cette époque, se renforça quand nous travaillâmes ensemble à Présence Africaine. Nous communiions dans une identique admiration pour Aimé Césaire. Malgré cela, nous étions souvent en désaccord. Pour lui, Aimé Césaire était le « nègre fondamental ». Il ne tolérait pas mes réserves et qu'en fin de compte, je lui préfère Frantz Fanon.

Fait important, capital, devrais-je plutôt dire : je m'étais mise à écrire. Cela s'était produit tout naturellement. Pas d'expérience mystique, cette fois. Aucune circonstance particulière n'entoura cet évènement considérable. Un soir, après le dîner, alors que les enfants étaient endormis, j'attirai à moi la machine Remington verte que j'ai gardée pendant des années, sur laquelle j'ai rédigé les deux volumes de *Ségou*. Je me mis à taper d'un doigt, non pas mes habituels interviews, articles, billets pour Bush House. On aurait cru qu'un coup de lance m'avait été donné au flanc et que s'en échappait un flot bouillonnant, charroyant pêle-mêle souvenirs, rêves, impressions, sensations oubliées. Quand je m'arrêtai, il était trois heures du matin. Je me relus avec une certaine appréhension. Dans un récit informe, j'avais parlé de moi, de ma mère, de mon père que je surnommais « le marabout mandingue ». C'était l'ébauche de l'ouvrage *Heremakhonon*, sur lequel je travaillai pendant des années avant de rencontrer Stanislas Adotevi (encore un Bon Samaritain !) qui dirigeait chez 10/18 la collection « La voix des autres ». En effet, je cherchais un élément que je n'arrivais ni à trouver ni à nommer. Je le sentais sans que nul ne me l'ait appris, les évènements d'un récit devaient être présentés au travers d'un filtre de subjectivité. Ce filtre est constitué par la sensibilité de l'écrivain.

Grosso modo, en dépit de la diversité de la narration, il demeure le même, livre après livre. C'est la voix inaltérable de l'auteur, n'en déplaise aux professeurs de littérature, s'évertuant à distinguer le Narrateur de l'Auteur. Mes étudiants l'ont bien compris qui en font l'objet de leurs travaux de recherche.

Et Kwame dans tout cela, me demandera-t-on ?

Je le portais en moi. Malgré la torture de ne pouvoir nous parler, nous embrasser, nous toucher, d'une certaine manière, nous n'avions jamais été plus proches l'un de l'autre que durant cette période de séparation. Un jour de rage, j'ai brûlé les lettres brûlantes qu'il m'écrivait et je le regrette vivement aujourd'hui. Alors, rien ne venait nous dresser l'un contre l'autre : ni enfants ni opinions politiques. Dans sa correspondance, un leitmotiv revenait : il me jurait que réhabilitée, je reviendrais au Ghana. Il y travaillait d'arrache-pied. Dans l'intervalle, il me suppliait de mettre de l'ordre dans ma vie. Il fallait absolument rendre les enfants à Condé. Après quoi, il s'occuperait de mon divorce. En six mois, affirmait-il, je serais libre de l'épouser. N'avais-je pas envie de m'appeler Mme Kwame Aidoo ? J'étais persuadée quant à moi que je ne vivrais plus jamais à Accra. La pensée de Kwame était devenue similaire à la croyance en l'au-delà d'un dévot. Elle était espoir. Elle me procurait assez de courage pour me lever à six heures du matin dans la noirceur, m'habiller, puis conduire mes enfants réticents à leur école, supporter près d'une heure de trajet depuis Highgate afin d'arriver à Bush House, travailler avec mes collègues, feindre de me divertir lors des parties branchées de Walter et Dorothy, bref, pour cheminer au long de cette existence si maussade et si solitaire. Mais espoir n'est pas assurance. Je n'avais nullement la certitude de le retrouver un jour.

C'est cet état d'esprit, cette conviction morose et confuse que, malgré mon âge relativement jeune, ma vie amoureuse était terminée qui explique une terrible décision que je pris.

À la rentrée scolaire, un rayon de soleil traversa le ciel plombé de l'Angleterre. Denis, le mal-aimé, l'exclu de toujours, devint l'ami inséparable d'un gamin, nommé Ethan Bromberger. Ils échangeaient des albums de bandes dessinées et des 45 tours. Après les classes, ils s'enfermaient pendant des heures dans la chambre de Denis où aucune des filles n'avait le droit d'entrer. Le samedi, ils enfourchaient leurs vélos et pédalaient à Hampstead Heath. Le dimanche, ils prenaient part aux activités d'une association « The Young Music Lovers ». Des années plus tard, Denis me révéla qu'Ethan avait été son premier amour homosexuel. Sur l'heure, bien sûr, bien que surprise par l'intensité de cette relation, je ne me doutai de rien. Je me pris d'affection pour ce gamin, grave et courtois, qui venait de perdre sa mère, lors de la naissance de son troisième petit frère. Il ne cessait de m'assurer : « Je suis sûr que vous vous entendrez à merveille avec mon papa. »

Afin que nous fassions connaissance, il m'invita donc à prendre le thé chez lui. Il ne se trompait pas. Comme nos fils, Aaron Bromberger et moi devînmes instantanément très proches. C'était un gynécologue qui possédait une clinique quelques rues plus loin dans une jolie maison victorienne. Il était brun comme un mulâtre, très assombri par la récente perte de sa chère Naomi. Ce n'était pas le premier Juif que je côtoyais. J'avais eu de nombreuses camarades juives au lycée

Fénelon. Pourtant, le vocable n'évoquait pas grand-chose pour moi. Je n'ignorais pas que Léopold Sédar Senghor avait été prisonnier des Allemands durant la Seconde Guerre mondiale. Mon propre frère était mort au stalag. Néanmoins, je n'avais jamais été interpellée par la barbarie nazie. J'avoue à ma honte que je n'avais pas lu le *Journal* d'Anne Frank et que les noms de Primo Levi, d'Elie Wiesel m'étaient inconnus. C'était la première fois que je fréquentais un Juif militant. Toute une page d'histoire se révélait soudain à moi : les camps de concentration, la solution finale, la naissance de l'État d'Israël, le conflit avec la Palestine. Je fus tout de suite frappée par ce qui me sembla une évidente similitude de destins entre la « race » juive et la « race » noire. Toutes les deux pareillement conspuées et torturées à travers le monde. Cette similitude de destins ne devait pas cesser de me préoccuper. Elle trouve son expression dans *Moi Tituba, sorcière noire de Salem.* Ceux qui ont lu cet ouvrage savent qu'il est centré autour du personnage de l'esclave Tituba, originaire de la Barbade, transplantée chez les Puritains en Amérique et à l'origine de l'hystérie collective des sorcières de Salem. Aux États-Unis, la signification provocatrice, largement parodique et moqueuse de ce roman, fut quelque peu occultée par la belle préface d'Angela Davis, un peu trop sérieuse et grave à mon gré. Elle mettait surtout l'accent sur la mise au silence et à l'écart du champ de l'histoire de certains peuples et de certains individus. Moi, voulant rompre avec l'image d'une vieillarde sans apprêts, j'avais fait de Tituba une séduisante femme noire qui, rencontrant en prison Hester Prynne, l'héroïne de *The Scarlet Letter* de Nathaniel Hawthorne, lui confiait qu'elle avait grand goût des hommes et qu'on ne ferait jamais d'elle une féministe. Elle devenait l'amante de son maître, le Juif Benjamin Cohen d'Alvezedo, contrefait et bossu. Quand ils se retrouvaient au lit, ils n'échangeaient pas de paroles tendres, mais se livraient à une sinistre comptabilité des souffrances de leurs peuples. Esclavage, châtiments corporels dans les plantations pour les Noirs. Pogroms et ghettos pour les Juifs. En fin de compte ils ne parvenaient jamais à une conclusion : qui avait été la principale victime des crimes contre l'humanité ? Aujourd'hui, je reste déchirée comme beaucoup de gens entre ma sympathie pour le malheureux peuple palestinien et dans son souci de se défendre, le visage agressif que revêt souvent Israël. Dans *En attendant la montée des eaux*, le personnage de Fouad, introduit à dessein pour refléter ces préoccupations, déclare :

« Je suis palestinien. Mais c'est une identité qui fait peur. Ce vocable-là recouvre trop de souffrances, de dépossessions et d'humiliations. Il faut être un Jean Genêt pour nous aimer. Autrement, le monde se détourne de nous. »

Aaron et moi parlions aussi abondamment de nous-mêmes. Ses parents ayant dû fuir l'Allemagne nazie avec l'avènement d'Hitler, son père, pianiste de concert adulé, s'était étiolé à donner de misérables leçons de musique à des élèves mal embouchés. Sa mère s'était mise à faire des ménages. Attention ! Jamais chez des Juifs ! Nous évoquions continuellement nos amours défuntes : Naomi, Kwame et partagions la triste conviction que les enfants, si fort qu'on les chérisse, sont souvent les fossoyeurs du bonheur. C'est ainsi que nous en vînmes à discuter contraception et qu'il me parla d'une opération qu'il pratiquait : la ligature des trompes. Je n'insisterai jamais assez sur le fait que tout cela se passe au temps d'avant la pilule contraceptive, d'avant la pilule du lendemain, bref, de toutes ces inventions qui protègent les femmes contre les maternités non désirées. À l'époque où j'étais jeune, un de nos grands soucis était de faire l'amour sans en payer les conséquences. Bien vite je le suppliai de m'opérer. Je ne voulais plus procréer. Il refusa catégoriquement sous prétexte que j'étais trop jeune !

« Qui vous dit que vous ne rencontrerez pas quelqu'un qui non seulement embarquera vos gamins, mais vous demandera de lui en faire d'autres ? »

Pourtant, après des mois de siège, il finit par céder.

L'opération dura une heure et fut assortie d'une anesthésie générale. Quand je me réveillai, je me sentis infiniment malheureuse. Pourquoi m'étais-je mutilée de la sorte ? Ainsi, je ne sentirais plus un fœtus ruer dans mon ventre ? Je n'aurais plus de longues causeries silencieuses avec le petit inconnu que je portais ? Je ne serrerais plus sur ma poitrine un nouveau-né aveugle et malhabile avec son inimitable odeur d'humus ? Il ne chercherait plus mon sein de sa petite bouche tiède et avide ? Tous les clichés relatifs à la maternité que j'avais ingurgités dans ma jeunesse : Vierges à l'enfant, pietà, enfant Jésus, défilèrent dans ma tête. L'instant d'après, j'éprouvai un incroyable soulagement. Fini ! C'en était fini de la peur et de l'angoisse à chaque rapport sexuel ! Aurais-je eu un homme à portée de main que je l'aurais attiré sur moi, car l'amour devait avoir un goût plus léger.

Cependant, je n'étais pas au bout de mes peines.

Quand après trois ou quatre jours d'hospitalisation, je rentrai chez moi, je trouvai dans mon courrier un pli officiel venant du Ghana. Le cœur saisi par un lourd pressentiment, je le décachetai d'une main tremblante. Il s'agissait d'une lettre signée lieutenants Kotoka et Afrifa. Je dus la lire et la relire avant d'en comprendre le sens. Cette lettre m'informait que mon avocat, maître Kwame Aidoo, avait fourni les preuves que mon expulsion du Ghana avait été une erreur. Il était clair que je n'étais pas une espionne. En outre, auparavant, j'avais été fort mal traitée par le régime de Kwame Nkrumah. En conséquence, à titre de dommages et intérêts, une somme de 10 000 cedis m'était attribuée. (Inutile de dire que je ne touchai jamais un sou de cette somme.) J'étais libre de revenir au Ghana si bon me semblait.

Comment dépeindre les sentiments que je ressentis ? Dans un premier temps, je n'éprouvai aucun bonheur. Au contraire. J'eus la conviction que l'Afrique me faisait à nouveau tomber dans un piège, plus horrible encore que ceux qu'elle m'avait déjà tendus. Elle me rendait Kwame alors que je n'étais plus une femme. J'étais une écale vide. Un simulacre. Comment oserais-je réapparaître devant lui ? Sûrement, si notre vie se régularisait, exigerait-il un héritier. Comment réagirait-il s'il savait que je ne pouvais plus le satisfaire ?

Puis une joie folle m'inonda. Foin de ces arguties ! J'allais retrouver mon homme. Walter et Dorothy à qui je téléphonai illico accueillirent froidement la nouvelle. Ils vinrent en hâte à Highate pour me déconseiller de quitter l'Angleterre.

« Vous commencez de vous faire un nom à Londres. Et puis, le Ghana est foutu, dit Walter. On peut parier qu'un nouveau coup se produira bientôt. »

Il ne se trompait pas. Un nouveau coup d'État devait secouer le pays en 1972. On peut en ajouter d'autres en 1979, 1981, 1982 et 1983. Cinq gouvernements militaires et trois gouvernements civils se succédèrent jusqu'à ce que Jerry Rawlings soit légitimement élu en 1992.

« Vous ne serez pas heureuse avec Kwame, prophétisa Dorothy. Trop égoïste. Trop calculateur. Il ne pense qu'à lui. Et puis, c'est un coureur invétéré. »

Je savais à part moi que Kwame n'était pas un homme fidèle, *stricto sensu*. Il sortait souvent seul le soir. Des voix féminines lui téléphonaient fréquemment. Plus grave, à Ajumako, il avait été marié traditionnellement à une princesse de sang avec qui il passait parfois une partie de la nuit. Kwamina me suppliait de me méfier d'elle, car elle pouvait me faire empoisonner. Pourtant, tout cela n'avait pas d'importance et à mes yeux, ne faisait qu'ajouter au charme peu commun de sa personnalité. J'étais convaincue de la place exceptionnelle que j'occupais dans son cœur. Après une nuit d'angoisse, ma décision fut prise : je partirais. Mais que faire des enfants ? Il n'était pas question de les ramener avec moi au Ghana.

Dès le lendemain, je me jetai donc dans une série d'actions désordonnées visant à résoudre ce problème. Je répertoriai les internats situés dans la région parisienne, susceptibles d'accueillir Denis et éventuellement Sylvie. Tous exigeaient un correspondant qui se chargerait du jeune pensionnaire non seulement pendant les vacances scolaires, mais à chaque week-end. Alors, j'adressai à ma sœur Ena, qui depuis des années ne me donnait plus signe de vie, une missive pathétique dans laquelle je la suppliais d'aider ses infortunés neveux et nièces pour lesquels elle n'avait jamais rien fait. Quelques jours plus tard, ce courrier me fut retourné, avec la mention « Partie sans laisser d'adresse ». Gillette, hâtivement consultée, m'apprit qu'Ena avait suivi son compagnon qui coulait sa retraite sur les bords du lac Léman. Elle m'annonçait en même temps que Jean avait été nommé ambassadeur de la Guinée au Liberia. Elle était restée à Conakry avec les gosses et elle se sentait terriblement seule, car son beau-père, qu'elle adorait, venait de mourir.

« Il emmène Fatou-Beaux-Yeux avec lui, à Monrovia, précisait-elle amèrement. Il paraît qu'à présent, elle se fait appeler *Son Excellence.* »

Nos deux mariages, celui de Gillette avec un bourgeois africain, célébré en grande pompe, l'autre, le mien avec un comédien sans le sou, passé incognito, se soldaient pareillement par des échecs ! Quelle tristesse ! Gillette terminait sa lettre en me suppliant de ne pas retourner au Ghana auprès de Kwame. Avec son goût coutumier pour l'exagération, elle affirmait :

« Cet homme-là finira par te tuer ! »

Comme je n'arrivais pas à résoudre le problème de mes enfants, je n'arrêtais pas de tergiverser. Tantôt, en dépit de toutes les sombres mises en garde, euphorique, j'étais décidée à partir. Tantôt, déprimée, encline à rester. Pendant ce temps-là, Kwame qui ne comprenait rien à mes atermoiements m'expédiait de véritables ultimatums. Son ultime lettre disait : « Après tant d'épreuves, notre bonheur naît enfin. »

Pour ma dernière soirée à Londres, je dînai avec Walter, Dorothy et une de leurs amies, la dramaturge Joan Littlewood. Sa pièce de théâtre *Ah Dieu ! Que la guerre est jolie !* remportait un succès considérable à Londres et venait d'être jouée à Paris.

« Pourquoi n'habitez-vous pas à Paris ? me demanda Joan Littlewood qu'avait séduite la capitale. Avec leur système social qui est bien meilleur que le nôtre, vos enfants et vous seriez mieux protégés.

— Maryse ne fait rien comme tout le monde », coupa Walter.

Je ne savais comment m'expliquer. C'est que ma relation avec Paris était des plus complexes. Paris n'était pas comme pour ma mère la Ville-Lumière, la capitale du monde. C'était le lieu où j'avais brutalement découvert mon altérité. À ma manière, j'y avais connu « cette expérience vécue du Noir » que relate Frantz Fanon dans *Peau noire, masques blancs*. Quand j'étais adolescente, dans le métro, l'autobus, les Parisiens commentaient vulgairement en me dévisageant sans souci d'être entendus :

« Elle est mignonne, la petite négresse ! »

Les enfants frissonnaient quand je prenais place à côté d'eux :

« Maman, elle a la figure toute noire, la dame ! »

Invitée à dîner chez une camarade de classe, son petit neveu éclata à ma vue en hurlements terrorisés que mes tentatives de l'approcher rendaient plus incoercibles. Il avait fallu, je ne le répéterai jamais assez, la découverte d'Aimé Césaire pour positiver ces expériences et m'emplir de la fierté de mes origines africaines. Mais surtout, je ne finirai jamais de mesurer les conséquences de mon aventure avec Jean Dominique. C'est à Paris que j'avais été blessée et humiliée. J'avais souffert dans mon cœur et dans mon orgueil. J'étais devenue une déclassée, une paria.

« Ne désire jamais, Nathaniel,
regoûter les eaux du passé »
Les Nourritures terrestres

André Gide

Devant mon désarroi, Walter et Dorothy proposèrent de se charger de Denis et de Sylvie.

« Pour un an, précisait Dorothy. Cela vous donnera amplement le temps de comprendre quel genre d'homme est Kwame et de revenir ici où nous vous accueillerons à bras ouverts. Dieu ! Quel gâchis ! »

Sylvie était ravie de demeurer à Londres. Elle adorait Walter et Dorothy qui la gâtaient outrageusement et elle s'entendait à merveille avec une de leurs filles, Haby, bien mieux qu'avec Aïcha au caractère si particulier. Denis, par contre, broyait visiblement du noir. Il n'était pas loin d'assimiler son sort à celui de son cher Ethan qui avait perdu sa mère.

« J'espère que tu seras heureuse », me répétait-il bravement.

Aaron Bromberger, inconsolable, se culpabilisait :

« Comme j'ai eu tort de céder à vos sollicitations et de pratiquer cette opération, je vous avais prévenue, irréversible ! Voilà que vous partez vers une nouvelle vie. »

Nouvelle vie ?

Kwame avait vraiment fait du beau travail : je revins à Accra le 10 septembre 1967, un peu plus d'un an après le coup d'État qui m'avait chassée. Je ramenais avec moi Aïcha et Leïla qui avaient tout juste six et quatre ans, espérant que leur jeune âge attendrirait le cœur de Kwame. C'était un piètre calcul. Je le compris tout de suite.

— Bonjour, monsieur Aidoo ! dit malicieusement Aïcha, offrant sa joue à baiser.

Il obtempéra après une longue hésitation. Puis il leva sur moi un regard où la fureur se mêlait à la douleur. Avec le recul que me donne la vieillesse, je comprends que j'ai assassiné moi-même à ce moment-là l'amour qu'il me portait. Il n'avait pas le caractère tolérant de Condé qui m'acceptait telle que j'étais. Il crut que je voulais lui forcer la main et ne me pardonna pas ma duplicité. Il garda un total mutisme pendant toute la traversée de la ville. Pour rompre ce terrible silence, je lui posai quelques questions d'une voix faussement naturelle :

« A-t-on commencé de juger les ministres ?

— Pas encore.

— Kodwo Addison est-il toujours en prison ?

— Oui ! »

Après cela, je ne dis plus mot.

Il habitait N'tiri, un nouveau quartier tapageur aux villas ultramodernes, bordé par une mer fangeuse que les efforts des promoteurs n'étaient pas parvenus à rendre riante et bleue. Une police privée patrouillait sur la plage, l'arme au poing, car Accra, jadis si sûre, s'était métamorphosée en repaire de bandits. Les journaux, qui n'étaient plus réduits à la seule feuille du C.P.P., décrivaient à l'envi les cambriolages les plus hardis, les plus spectaculaires, perpétrés par des bandes prêtes à tout. En plein jour, des maisons étaient vidées de leur contenu pendant que leurs propriétaires étaient au travail, le mobilier emporté dans des camions de déménagement. Le lendemain, tenant Aïcha et Leïla par la main, je fis un tour dans la ville, mais je ne la reconnus pas. Une tristesse sans nom pesait sur elle. Finis les airs de high-life relayés par des haut-parleurs ! Déserts, les bars où autrefois hommes et femmes se saoulaient à l'akpeteshie, ou gin local. Quelques rares promeneurs émaillaient les places publiques. J'allai rôder près de l'institut où j'avais enseigné. Le pimpant édifice de briques était désert ; une poignée d'étudiants bayait aux corneilles sur la galerie. Le nouveau directeur, Asiédu qui avait enseigné l'espagnol du temps de Roger, me dévisagea avec stupeur :

« Vous ici ! Est-ce que vous n'aviez pas été déportée en Guinée ?

— Ça s'est arrangé ! balbutiai-je. Où sont passés les étudiants ? »

Il haussa les épaules :

« Partis ! Personne ne veut plus étudier les langues. C'était une lubie de Nkrumah ! À présent, les gens veulent des métiers qui rapportent : commerce, gestion… »

Au déjeuner, j'interrogeai Kwame :

« Qu'est-ce que le nouveau régime a apporté de positif au pays ?

— La liberté d'expression ! me répondit-il avec emphase.

— C'est tout ?

— Comment c'est tout ? s'exclama-t-il, outré. Nous avons maintenant au moins une dizaine de journaux. On ne compte plus les partis d'opposition. Des élections sont prévues pour juin. »

Je n'étais pas convaincue. À la télévision, des jeux ou d'insipides séries américaines dont *Bewitched/Ma sorcière bien-aimée* qui connaissait un franc succès, avaient remplacé les interminables discours de Kwame Nkrumah sur les méfaits du colonialisme. Était-ce un progrès ? Je gardais mes questions pour moi, car Kwame n'était guère décidé à y répondre.

Une semaine après notre arrivée, Adeeza retrouva notre trace et apparut à l'heure du petit déjeuner. Elle s'était mariée et était enceinte. Son mari, un électricien, était au chômage, car les grands travaux de construction entrepris sous Kwame Nkrumah étaient tous à l'arrêt. Leïla, qui ne l'avait pas oubliée, se jeta contre sa poitrine, la couvrit de baisers passionnés tout en lui murmurant à l'oreille un long récit des peines vécues loin d'elle. J'étais médusée, une fois de plus pétrifiée de jalousie. Leïla ne me manifestait jamais pareille tendresse. Quels sentiments éprouvait-elle pour une mère qui la traînait de pays en pays, de maison en maison, qui lui avait infligé cette détestable parenthèse en Angleterre ? En bref, une mère grâce à laquelle elle avait été si tôt initiée aux terribles expériences du déracinement, de l'exil et du racisme ? Quand Adeeza fut partie, je la pris dans mes bras. J'aurais aimé la supplier d'essayer de me pardonner le mal que j'avais causé, bien malgré moi. Évidemment, elle ne comprit ni le sens de mes larmes, ni celui de mes propos décousus et se borna à me rendre mes baisers avec un peu d'impatience.

Tout cela n'embellissait pas mon humeur. Car ce retour, on s'en doute, n'était pas du tout tel que je l'avais imaginé. Kwame sortait soir après soir, à peine le dîner avalé. Il revenait si tard dans la nuit que j'étais déjà endormie. Aussi, nous faisions rarement l'amour. C'était peut-être mieux ainsi, car à chaque fois, ses précautions me plongeaient dans de tels abîmes de culpabilité que j'étais tentée d'avouer la vérité. En fait, nous ne nous voyions guère. Il travaillait maintenant pour une importante compagnie de pétrole nigériane et prenait prétexte de ses nouvelles responsabilités pour être toujours absent, à Lagos en principe.

« Tu n'as besoin de rien ? » me lançait-il avant de disparaître pendant des jours.

Une fois que son absence durait depuis plus d'une semaine, inquiète, je finis par me rendre à son cabinet dont l'importance m'étonna. Les temps avaient bien changé ! Deux autres avocats y trônaient et on comptait bien une dizaine d'employés. Tout ce monde me dévisagea avec curiosité. Je compris que je devais être au centre de bien des ragots. Le plus dur se situait au plan matériel. Kwame se comportait délibérément comme si je n'avais pas deux enfants avec moi. Je ne savais comment payer les uniformes d'école des petites, les frais de cantine, de cars de ramassage scolaire. À cette époque, je n'avais pas encore lu l'ouvrage de celle qui devait figurer en tête de liste de mes auteurs favoris, Virginia Woolf : *A Room of One's own*. Pourtant, je compris très vite qu'une femme ne doit jamais dépendre financièrement d'un homme. Après bien des réflexions, j'allai bravement frapper à la porte de la Ghana Broadcasting Corporation où Mme Attoh-

Mills me reçut à bras ouverts. Elle occupait un poste important et avait entendu mes chroniques de Londres qu'elle jugeait intelligentes et pleines d'humour :

« Pourquoi êtes-vous revenue ici ? s'exclama-t-elle. Depuis que nous n'avons plus Kwame Nkrumah, le pays se meurt. Au moins avec lui, nous avions largement de quoi manger et le pays regorgeait de touristes, venus du monde entier. Aujourd'hui, c'est un désert ! »

J'ai entendu des réflexions identiques dans les pays les plus divers après les changements de régime et les soi-disant révolutions. Elles traduisent la désespérance de nos peuples qui espèrent le bonheur et sont constamment floués.

Il fut convenu entre Mme Attoh-Mills et moi que je ferais un billet hebdomadaire sur la vie culturelle à l'intention des autres pays anglophones. Cela se révéla un véritable casse-tête, rien de rien ne se passant plus au Ghana. Je finis par me résoudre à des portraits de musiciens. Seul, l'art musical a la vie dure. Les romanciers, les dramaturges, jadis si nombreux se taisaient.

C'est à Accra, lors de ce second séjour si décevant, que je me mis à écrire de façon quasi professionnelle, sans pour autant nourrir l'espoir fou d'être un jour publiée. Je veux dire que j'écrivais pendant des heures. Une fois Kwame à son cabinet et les enfants à l'école, la journée s'étendait pratiquement nue devant moi. Je m'installais avec ma fidèle Remington ainsi qu'une provision de boîtes de papier bon marché sur le balcon du premier étage. J'empilais des 33 tours sur le pick-up de Kwame que je plaçais non loin de moi. Perfectionné pour l'époque, il était capable de retourner les disques afin d'en faire entendre les deux faces. La musique favorisait ma créativité en assurant un environnement de beauté. Elle m'était cette huile d'harmonie qui lubrifie les rouages rétifs de l'intellect. Elle me versait l'oubli des tristes contingences matérielles. J'avais et j'ai toujours beaucoup de mal à concevoir des dialogues. Je me demandais s'il ne fallait pas les supprimer entièrement, ce à quoi je me suis décidée dans certains de mes romans. Dans *Heremakhonon*, après des essais infinis, j'adoptai un stratagème qui me parut commode et qui convenait, me semblait-il, à la personnalité mal définie de l'héroïne, Véronica. Ne garder que les questions posées, remplacer les réponses par des monologues intérieurs souvent confus.

Nous vivions malgré tout, Kwame et moi, des moments qui avaient même visage que le bonheur.

Je l'accompagnais parfois à Ajumako. Son père était mort. Sa sœur, Kwamina, également, victime d'une crise cardiaque. Son jeune frère, monté sur le trône, assumait la charge du royaume. Aussi Kwame n'avait d'autre fonction que celle de membre d'un Conseil de Sages. Nous ne sortions guère de notre chambre dans la deuxième cour du palais royal. Le soir, nous nous rendions aux concerts de musique sur la place centrale. Des serviteurs nous apportaient les tabourets traditionnels. Et comme l'air de la nuit était frais, ils nous enveloppaient les épaules d'épaisses étoles de peaux. Je levais la tête vers le ciel clouté de constellations et je souhaitais passionnément recommencer ma vie. Ah ! Sortir à nouveau du ventre de ma mère, les mains pleines de nouvelles cartes ! Si un dieu se cachait derrière cette opacité immense, pourquoi me refusait-il le simple bonheur qu'il accordait à tant d'autres ? Pourquoi, pour moi, multipliait-il les épreuves ? Vers quoi entendait-il me conduire ?

Une fois, Kwame m'invita à passer un week-end

à Lagos où un de ses amis se mariait. Nous n'assistâmes pas à la noce. Je ne vis pas grand-chose de cette ville chaotique où je me rendais pour la première fois. Des gangs ayant commis je ne sais plus quels horribles forfaits, les militaires bouclaient des quartiers entiers. Des voitures de police couraient partout dans le déchaînement de leurs sirènes. Nous nous enfermâmes dans notre cinq étoiles au bord de la mer et nous fîmes l'amour quarante-huit heures d'affilée. À côté de l'hôtel, il y avait une petite librairie où j'achetai les dernières pièces de Wole Soyinka.

« Je l'ai connu à Londres ! » fis-je avec un peu de nostalgie.

Car à ma surprise, l'oubli faisant la toilette du souvenir, ma vie à Londres revenait de plus en plus fréquemment me hanter.

Parfois aussi, Kwame recevait. Les réceptions réunissaient ses solennels collègues du barreau et leurs épouses empanachées, ses cousins, le couple Boadoo, toujours aussi fantaisiste, flanqué de Yasmina, la jeune sœur d'Irina, mannequin comme son aînée, étonnamment agressive avec moi. Ces soirées n'avaient rien de commun avec les house-parties bruyantes et bon enfant auxquelles j'assistais autrefois avec Lina. Des serveurs en livrée blanche faisaient circuler le champagne et les petits fours. Pas de kente, mais des costumes de soie sauvage signés Giorgio Armani. Pas de pagnes ni de mouchoirs de tête. Mais des robes achetées à Paris ou à Londres. Pas de langues nationales. Seul était parlé l'anglais le plus anglais, le plus châtié. Et je me demandais si j'avais parcouru tant de chemin pour aboutir finalement à ce cercle que n'auraient pas désavoué les Grands Nègres. C'étaient des « mimic-men » comme les appelaient V. S. Naipaul et le chercheur indien Homi Bhabha que je devais dévorer plus tard quand j'enseignais aux USA. Le coup d'État avait été fait pour qu'ils puissent aller en vacances à Acapulco et s'acheter des Audi Quatro. Qui se souciait encore du peuple africain ? Personne.

Mais s'en était-on jamais soucié ? Kwame Nkrumah n'avait-il pas simplement voulu métamorphoser le pays en miroir, où, Narcisse, il se mirerait ?

Osagyefo never dies.

« The end of the affair »

Graham Greene

Je sentais que j'étais en sursis. Tout cela était pour finir.

Quand ? Comment ?

J'étais pareille à un dormeur qui s'accroche au sommeil, sachant que le réveil lui amènera un cauchemar.

Noël approchait et Accra redevenait quelque peu la ville rieuse et parée que j'avais connue. Devant Flagstaff House, un gigantesque sapin transporté par avion depuis le Canada avait été dressé. Un soir, sous les yeux d'une foule rugissant son plaisir, à l'imitation d'une coutume transplantée des États-Unis, un ministre cravaté et son épouse en robe de lamé vinrent l'illuminer. Ensuite, une chorale des enfants des écoles entonna des cantiques allemands, pour finir *O Tannenbaum*. À la maison, j'avais décoré une branche de filao, qui représentait tout ce que mes moyens me permettaient de m'offrir. Chaque jour, avant le dîner, nous allions chanter des cantiques *a cappella* chez des voisins qui servaient ensuite de petits verres d'« eggnog » et des biscuits salés. Mais le cœur n'y était pas. J'avais intercepté une lettre d'Aïcha au Père Noël lui demandant deux billets d'avion pour ramener Denis et Sylvie au Ghana « sinon, précisait-elle, nous passerons Noël avec maman et M. Aidoo, ce qui sera trop triste ». Dorothy venait de m'écrire que Denis s'était fâché avec Ethan Bromberger, qu'ils ne se parlaient plus. Que s'était-il passé entre ces gamins qui s'adoraient ?

Par contraste avec la tristesse ambiante, je revivais les Noëls de mon enfance, la chaleur, la convivialité de la célébration. Mes parents n'invitaient personne. Leurs huit enfants leur suffisaient amplement. Et puis, ils n'avaient pas d'amis, surtout ma mère que j'ai toujours vue seule traverser la vie. Noël était la seule fête où ils sacrifiaient à la tradition culinaire. Rien ne manquait. Ni les monceaux de boudin luisant et violacé. Ni le jambon empanaché de sa craquelure. Ni les pois d'Angole. Ni les ignames pakala, blanches, selon la comparaison consacrée, comme les dents d'une belle négresse. Si ma mère préférait le champagne, mon père buvait du rhum en abondance et finissait toujours par chanter faux « Faro dans les bois », tandis que mes frères se tordaient de rire. Une nuit quand j'étais encore trop jeune pour accompagner la famille à la messe de minuit à la cathédrale Saint-Pierre-et-Saint-Paul, on me laissa dormir dans la petite chambre que j'occupais au flanc de celle de mes parents. Je ne sais pourquoi je me réveillai. Le silence autour de moi me sembla inhabituel. À l'accoutumée, la maison était pleine du bruit de la musique qu'écoutait ma mère et des disputes entre mes frères et sœurs. Intriguée, j'entrai dans la chambre de mes parents. Elle était vide. De plus en plus intriguée, je montai à tâtons l'escalier qui menait au deuxième étage. Je dis bien à tâtons, car ma taille ne me permettait pas d'atteindre les interrupteurs et que je cherchais mon chemin dans la noirceur. M'étant persuadée que les lieux étaient déserts, je redescendis au salon, me roulai sur un divan où mes parents me retrouvèrent, toujours éveillée, l'œil sec, deux heures plus tard.

« Tu n'as pas eu peur ? » répétait ma mère en me couvrant de baisers.

Mon père trouvait là une raison d'utiliser un de ces grands mots qu'il affectionnait :

« Cette petite est nyctalope ! » fit-il.

Et comme personne ne savait ce que signifiait ce mot étrange, il expliquait :

« Est nyctalope, celui dont les yeux voient dans le noir. »

Que j'étais loin de ce temps-là, assignée à résidence dans cette villa inhospitalière, à laquelle je n'avais jamais pu m'habituer, avec mes deux fillettes traitées en parias par le maître de maison et les serviteurs.

Le Ghana, quant à lui, suffoquait sous ses nouveaux oripeaux empruntés à l'étranger.

Un après-midi, Mme Attoh-Mills m'entraîna chez son « clairvoyant ». Mme Attoh-Mills était ma seule amie. Cette femme était aussi belle que bonne. Elle prenait mon sort très à cœur, m'obligeant à regarder la réalité en face :

« Votre affaire est foutue ! Je te conseille de prendre les devants et de t'en aller avant que Kwame ne te mette dehors avec tes enfants, me répétait-elle. Tu ne sais pas de quoi sont capables les hommes d'ici. Tu es là. Tu t'incrustes. Tu t'incrustes. »

Aurais-je suivi ce conseil que je me serais épargné une blessure dont j'ai mis des années à me guérir. J'avais à présent la franchise de m'avouer que mon séjour en Angleterre, si difficile qu'il ait pu être, avait comporté bien des éléments positifs. Je m'étais fait beaucoup d'amis de toutes nationalités. Dans de nombreux cercles, j'avais suscité l'estime et l'attention. Néanmoins, je ne pouvais envisager l'éventualité d'un retour en Europe. Pourtant, une pensée ne cessait de s'insinuer en moi. N'était-il pas grand temps de mettre fin à ce périple africain, riche surtout en souffrances ? Ne devais-je pas me résoudre à aller me faire voir ailleurs ?

Quel que soit le nom qu'on leur donne, dibia, marabout, kimbwazè, « clairvoyant », ce sont des personnages essentiels dans les sociétés d'Afrique et des diasporas. Non seulement, ils sont censés prévoir l'avenir, mais ils sont capables de déjouer les mauvais coups du destin. Si mon scepticisme naturel m'interdisait d'avoir recours à leurs services, il n'était partagé par personne autour de moi. Eddy, grande fervente des « clairvoyants », racontait une histoire dont j'ai tiré une nouvelle publiée en Amérique dans l'ouvrage collectif intitulé : *Dark Matters* (1995). Alors qu'elle habitait N'Zérékoré en Haute-Guinée, ses bijoux disparurent. Elle en fut d'autant plus désolée qu'il s'agissait de souvenirs de famille : collier grenn dô et collier chou offerts par sa mère, gourmette de première communion, camée ayant appartenu à une aïeule monté en broche. Elle courut trouver un marabout réputé à travers la région.

« Ne t'en fais pas ! lui recommanda-t-il d'un ton réconfortant. Tes bijoux te seront rendus dans trois jours. »

Il refusa d'accepter son argent et la pria d'effectuer un don qu'il fixa à l'orphelinat. Trois jours plus tard, comme il l'avait prédit, sa boîte à bijoux réapparut sur la table de la cuisine. Hélas ! Dans sa joie et l'exaltation que lui causait « ce miracle » qu'elle racontait à tous ceux qui l'approchaient, elle oublia le don prescrit. Sous huitaine, ses bijoux disparurent à nouveau. Le marabout, chez qui elle se précipita, ne voulut pas la recevoir.

Mme Attoh-Mills, engagée dans une épineuse procédure de divorce, pour la troisième fois, je crois, avait besoin de conseils quasi quotidiens. Son « clairvoyant » qu'elle disait le meilleur d'Accra, habitait Achampong, un quartier populaire, aux trottoirs défoncés et plein de monticules d'ordures. Sa maison signalée par un gigantesque panneau s'élevait au fond d'une cour grouillante de femmes et d'enfants. C'était un petit homme frêle au visage émacié. Il me fixa longuement de ses yeux curieusement éteints et murmura quelques mots à l'oreille de Mme Attoh-Mills.

« Qu'est-ce qu'il dit ? interrogeai-je, un peu nerveusement.

— Il demande si tu sais que bientôt tu vas faire un grand voyage.

— Un grand voyage ? répétai-je, paniquée sans savoir pourquoi. Est-ce qu'il veut dire que je vais mourir ? »

Mme Attoh-Mills traduisit ma question et le dibia lui expliqua ce qu'il « voyait ».

« Il ne s'agit pas de cela, dit-elle. Tu as de longues années devant toi. Simplement, bientôt, tu vas quitter ce pays. »

Comme je le regardais, ahurie, il alla prendre sur une étagère un bocal plein d'un liquide trouble dans lequel macéraient des racines noirâtres et me le tendit.

« Tu en prends une cuiller à soupe trois fois par

jour », m'ordonna Mme Attoh-Mills sur sa recommandation.

Si j'avais avalé cette décoction, le cours de mon existence en aurait-il été modifié ?

Je revins à N'tiri dans la maison vide, Aïcha et Leïla n'étant pas encore revenues de l'école. Combien de temps tout cela allait-il encore durer ? Kwame ne faisait plus que de brèves apparitions pour changer son linge, prendre certains dossiers, donner de l'argent aux domestiques. Je me répétais que nous devions avoir une conversation sérieuse. Mais j'avais peur et n'en avais pas le courage.

Un matin, il apparut sur la terrasse où sans entrain je venais de m'installer pour écrire. Les idées ne me venaient guère en ce moment. À sa vue à cette heure inopinée, je sus que le moment était venu. Je ne me trompais pas. Sans me regarder, d'une voix monocorde, comme s'il récitait un texte appris d'avance, il m'annonça qu'il avait acheté trois billets d'avion pour les enfants et moi. Ses moyens ne lui permettant pas de nous renvoyer à Londres d'où nous venions, il s'était borné à des trajets Accra-Dakar. Dakar était une ville francophone où, il le savait, j'avais de nombreux amis. Il ajouta :

« Je vais me marier.

— À qui ? parvins-je à dire d'une voix étranglée.

— À Yasmine, la jeune sœur d'Irina. »

J'aurais dû m'en douter.

« Tu ne te sépareras jamais de tes enfants, conclut-il d'un ton douloureux. J'ai fini par l'accepter. »

Ma mémoire miséricordieuse a raturé le souvenir de la majeure partie de ce qui s'est passé ensuite. Je sais avoir eu cette fois encore de nombreuses visites d'adieu. Mme Attoh-Mills, la fidèle Adeeza et son mari, le couple Boadoo. Mais je ne me rappelle plus comment j'ai quitté le Ghana, comment je suis arrivée au Sénégal.

III

« Il faut tenter de vivre »

Paul Valéry

Un matin, j'ai ouvert les yeux et me suis trouvée couchée dans un lit au premier étage d'une maison de bois, entourée d'un balcon, plantée au milieu d'une marée d'arachides. Cette maison appartenait à Eddy qui n'était plus sage-femme, mais fonctionnaire des Nations-Unies. Non seulement, aidée de deux infirmières, elle faisait marcher la P.M.I. centrale, mais, au volant d'une camionnette poussive, elle effectuait dans les villages environnants des tournées de vaccinations et de distributions de nivaquine. Ce n'était pas encore à l'ère du SIDA. Aussi, il n'y avait pas de distributions de préservatifs. Elle pestait continuellement :

« Ce que les Nations-Unies font là, c'est une goutte d'eau dans la mer. Il faudrait que l'État sénégalais mette sur pied un vrai programme de Santé Publique. Or tout le monde s'en fout ! »

C'était le jour de Noël.

Aïcha et Leïla étaient parties très tôt pour la fête organisée par leur minuscule école qui s'élevait au bout de notre rue.

Il n'était pas tombé une goutte d'eau depuis des

mois. La terre se fendillait. L'air sentait la végétation brûlée. De mon lit, je sentais des vagues de chaleur brûlante. Je me levai, me lavai, m'habillai sommairement et descendis en hâte dans la cuisine où somnolait comme toujours Fatou, la petite servante. À cause des enfants, je fis l'effort de cuisiner un poulet farci avec des châtaignes-pays. Eddy avait roulé jusqu'à Thiès pour acheter des pâtés à crabes et du boudin au sang de porc (ô scandale dans ce pays musulman où cependant on célébrait Noël) à un traiteur martiniquais. La fête pouvait avoir lieu, même si le cœur n'y était pas. Mais pas du tout alors.

À la fin de la matinée, tout le monde rentra. Les fillettes d'abord, puis la camionnette d'Eddy s'engouffra dans la disgracieuse cahute en tôle qui tenait lieu de garage. On distribua les cadeaux. Outre les inévitables dessins d'enfants, je reçus un flacon de « Shalimar » de Guerlain qu'Eddy avait tenu à m'offrir. Je savais ce qu'elle voulait me dire : « Ne désespère pas. Tu referas ta vie. » J'en eus les larmes aux yeux. Où serais-je sans elle ?

Vers sept heures, nous laissâmes les petites à la garde du vieux gardien hernieux et à chéchia rouge qui figure dans tous mes livres et nous nous rendîmes à l'église. La messe n'avait plus lieu à minuit, car la violence s'était installée dans cette petite ville comme dans le reste du monde. Des voyous profitaient de l'absence des occupants pour dévaliser les maisons. Dans la nuit naissante, une foule d'hommes et de femmes marchait vers le quadrilatère de béton, surmonté d'une croix. À l'entrée, une crèche était disposée. Le bœuf et l'âne, pratiquement grandeur nature, veillaient sur un baigneur aux joues roses et aux yeux bleus.

« N'aurait-on pas pu trouver un poupon noir ? » pensai-je malgré moi. Insoucieux de cette faute de goût, les fidèles y allaient de leur obole dans de grandes cruches placées à cet effet. Le père Koffi-Tessio, un Togolais, était très fier de sa chorale. Et c'est vrai qu'il était beau ce chœur de « voix païennes » comme dirait Léopold Sédar Senghor chantant le miracle de la Nativité. Personnellement, je n'étais là que pour faire plaisir à Eddy, n'ayant pas mis les pieds dans une église depuis des années. Aussi, je m'étonnai de m'entendre prononcer sans hésitation les paroles des cantiques, ce qui prouvait que je n'étais pas parvenue à éradiquer entièrement une part de moi-même. D'ailleurs, de plus en plus fréquemment, elle me remontait au cœur. Au moment de la communion, alors qu'une marée humaine montait vers la table sainte, j'éprouvai l'absurde désir de me perdre dans ce flot.

D'une certaine manière, j'adorais Khombole. Après le tumulte de mes récentes années, c'était comme si j'étais de retour dans la paix du ventre de ma mère. Eddy me chouchoutait :

« Tu m'as fait très peur, me répétait-elle. Un jour, tu m'as demandé avec le plus grand sérieux si tu ne ferais pas mieux de t'enfoncer la tête dans un four comme je ne sais quelle poétesse anglaise.

— Américaine ! corrigeai-je machinalement. Sylvia Plath était américaine. »

Cependant, cette impression d'être coupée du monde, d'être à l'abri de tout était fausse. Même à Khombole, les épreuves ne m'épargnaient pas. C'est là qu'atterrée, sans voix, j'appris avec Eddy la mort de notre chère Yvane, emportée en quelques semaines par un cancer. Sur ces entrefaites, une lettre de Gillette m'annonça que Jean avait été brutalement rappelé de son poste d'ambassadeur. Accusé de complot avec des puissances étrangères, il avait été jeté au camp Boiro. Qui sait s'il en sortirait un jour ?

En fait, nous ne devions plus le revoir. Battu à mort, il avait été enterré dans une fosse commune que Gillette ne parvint jamais à identifier. Elle passa le reste de sa vie en Guinée qu'elle ne voulut jamais quitter par fidélité à la mémoire de son mari. Je lui ai emprunté cette phrase que prononce Rosélie dans *Histoire de la femme cannibale* : « Mon pays, c'est là où il se trouve. »

Dès que j'en avais eu la force, je m'étais assise derrière ma machine à écrire. À mon insu, quelque chose s'était déverrouillé en moi et j'étais résolue à devenir écrivain. Comme Roger Dorsinville, je noircissais des pages et des pages. Je ne sais comment cette décision m'était venue. Certes j'avais des doutes. Parfois je la jugeais risible. Voilà que j'envisageais de nourrir quatre enfants avec les fumées de mes pensées. À d'autres moments, elle me paraissait arrogante. Qui étais-je pour oser pénétrer dans le cercle magique de ceux que j'avais admirés ? Pourtant dans l'ensemble je tenais bon. Ce qui me frappe, c'est que je ne songeais pas à parler de mes problèmes personnels ; par exemple à évoquer le tsunami amoureux qui venait de me bouleverser. Pudeur ? Ambitions plus hautes ? Ainsi, avant ces *Mémoires*, je n'avais jamais parlé de Kwame. Il avance masqué dans certains textes, donnant quelques-uns de ses traits à mes personnages : machisme, arrogance, insensibilité. Par contre, au fil des années, certains épisodes politiques m'obsédaient : ainsi le complot des enseignants en Guinée sur lequel je revenais constamment.

Eddy fut une des rares à m'encourager vivement

à écrire. Cependant elle n'était pas satisfaite de ce qu'elle lisait.

« Si tu racontes tout ce que tu as vu, tout ce que nous avons vu, tu intéresseras forcément les lecteurs ! » assurait-elle.

« Tu philosophes trop, se plaignait-elle, tu fais trop de réflexions personnelles. Ce qu'on te demande, c'est de raconter ! Un point, c'est tout ! »

Le 6 janvier, jour des Rois, dans une guimbarde de louage, je descendis à Dakar accueillir Denis. Il ne pouvait plus rester à Londres car, m'écrivait mystérieusement Dorothy, il avait été extrêmement grossier avec Walter. Elle refusa toujours de m'en dire davantage. Ce fut Sylvie qui me confia qu'il avait traité Walter de « sale pédé » à cause de son habitude de se balader nu devant ses fils.

Quand Denis apparut dans le hall de l'aéroport de Yoff, il me gratifia d'un de ses sourires lumineux qui devaient devenir hélas de plus en plus rares, tellement pareils à ceux de son père. Je ne fis attention qu'à sa taille. Il était déjà presque adolescent et je n'eus plus besoin de me pencher pour l'embrasser. Bien que je me sois gourmandée pendant tout le trajet, je ne pus que fondre en larmes, bégayant :

« Ne m'en veux pas ! Ne m'en veux pas ! »

Il m'entoura les épaules d'un bras déjà viril et me serra contre lui :

« T'en vouloir ! s'exclama-t-il. Comment pourrais-je t'en vouloir ? Et de quoi ? Si quelqu'un a souffert, c'est toi ! Je t'aime, maman ! »

Ces paroles de Denis « Je t'aime, maman », je les ai gardées au creux de mon cœur à travers toutes ces années de tensions, d'affrontements, de brouilles et de réconciliations trop brèves jusqu'au jour de sa mort du

SIDA, si cruelle, si injuste en 1997. Il avait quarante et un ans. Il avait écrit trois romans prometteurs. Il allait devenir un écrivain. C'était le seul de mes enfants qui se soit intéressé à la littérature.

Quand j'eus à peu près reconstitué ma famille, je pensai qu'il était temps de quitter Eddy, car j'abusais de sa générosité. Je pris la décision de m'installer à Dakar. J'y avais retrouvé mes anciens et chers amis. Sembène Ousmane, que le pouvoir de Senghor pourchassait à présent ouvertement, préparait son premier long métrage : *La Noire de*. Je l'accompagnais dans les villages où, grâce à des relations personnelles, il parvenait à présenter ses deux films précédents. Quand il arrivait, à chaque fois, c'était la fête. On attendait que la nuit baigne la place centrale pour commencer la projection. Devant l'écran géant, les villageois s'asseyaient qui sur des nattes, qui sur des bancs, qui à même le sol. En attendant les premières images, les notables mâchonnaient dignement leur cure-dent. Les enfants, assis à même le sol, aux premiers rangs se tenaient tranquilles. Tout d'abord, les griots chantaient en s'accompagnant au balafon. Les acrobates jonglaient et exécutaient leurs cabrioles. Puis, le silence se faisait. Quand la projection était terminée, une discussion généralement animée par un jeune d'un collège voisin s'ensuivait. Sembène Ousmane, jamais las, répondait généreusement à toutes les questions. Comme à l'accoutumée, je ne comprenais rien à ce qui se passait autour de moi, car tous les échanges avaient lieu dans la langue véhiculaire, le wolof. Pourtant, je me sentais bien là dans l'opacité de la nuit, au chaud dans la convivialité de tous ces humains.

Je retrouvai Roger Dorsinville avec un grand

bonheur. Nous étions restés en correspondance et il était au courant de mes déboires sentimentaux. Ainsi que Jean Brière il prévoyait que François Duvalier, lassé, et riche à millions, se retirerait bientôt de la présidence et confierait la direction du pays à son obèse de fils, Jean-Claude. Roger affirmait :

« C'est un arriéré mental ! Un idiot ! Tout le monde le sait ! Haïti, c'est vraiment du Shakespeare. »

Mon cœur se serrait quand ils me parlaient d'un journaliste qu'il considérait comme l'espoir du pays, le champion des opprimés : Jean Dominique.

« C'est un mulâtre, précisait Jean Brière. Tu sais comme dans notre pays, la couleur compte pour beaucoup. Mais il tourne radicalement le dos aux préjugés de sa caste. »

J'avais envie de hurler :

« Hélas, je le connais. C'est un salaud ! Il a gâché ma vie ! »

Par la suite, je me suis très fréquemment trouvée dans des cercles où des militants faisaient le panégyrique de Jean. Ses exils au Nicaragua, aux États-Unis, son soutien à Aristide qui se changea en opposition farouche quand l'ancien prêtre devint un dictateur comme les autres, et pour finir son assassinat faisaient de lui un modèle. Je m'efforçais de garder mes pensées pour moi. Je n'ai perdu patience qu'en 2003 lorsque le film de Jonathan Demme, *The Agronomist*, fut ovationné par la presse de gauche. Mes filles se précipitaient au cinéma pour découvrir le père de leur frère et au sortir, conquises, discutaient ouvertement afin de savoir si j'avais véritablement pris la mesure de la carrure politique de Jean Dominique.

Exaspérée, j'adressai une lettre ouverte à un quotidien très connu où j'avais souvent publié sous la rubrique « Opinions ». Je soutenais qu'un homme, dont la conduite vis-à-vis des femmes était répréhensible, ne saurait être salué en héros. Un ou deux jours plus tard, le rédacteur en chef me téléphona d'un ton embarrassé que le journal ne publierait pas ma lettre. Les faits que je relatais touchaient à la vie privée. Aussi il risquait d'être poursuivi pour diffamation !

« Si vous voulez vous venger, écrivez un livre ! »

Je fus stupéfiée. Pour moi un livre n'est pas un moyen de me venger des individus ou de la vie. La littérature est le lieu où j'exprime mes peurs et mes angoisses, où je tente de me libérer de questionnements obsédants. Par exemple, quand j'écrivis *Victoire, les saveurs et les mots*, l'ouvrage qui me fut le plus douloureux à écrire, je m'efforçais de résoudre l'énigme que représentait le personnage de ma mère. Pourquoi une femme sensible, profondément bonne et généreuse, avait-elle un comportement si déplaisant ? Elle ne cessait de décocher à tous ceux qui l'entouraient des flèches empoisonnées. Une réflexion approfondie et la rédaction de ce texte me permirent de comprendre que la complexité de ses rapports avec sa mère étaient la cause de cette contradiction. Sa mère qu'elle adorait mais dont, illettrée, analphabète, elle avait toujours eu honte. À tout instant, elle se reprochait d'avoir été « une mauvaise fille ».

Roger Dorsinvillle fut la première personne à qui je donnai à lire une version complète de *Heremakhonon*. Deux jours plus tard il me donna son verdict :

« Que de turgescences ! Est-ce que tu ne crains pas que l'on te confonde avec ton héroïne, Véronica Mercier ? »

Je le regardai interdite. Je ne pouvais pas me douter qu'il prévoyait la vérité. En 1976, à la parution du roman, journalistes et lecteurs s'empressèrent de croire que Maryse Condé et Véronica Mercier ne faisaient qu'une seule et même personne. Je fus accablée de critiques. On alla jusqu'à me reprocher mon amoralisme et mes indécisions. Je découvris que l'écrivain, surtout si elle est une femme, afin de protéger sa réputation ne doit peindre que des parangons de vertu.

Je revis aussi Anne Arundel. Dans une malle qu'elle croyait pleine de vieilleries sans valeur, elle avait découvert des cahiers de poèmes de Néné Khaly et essayait de les faire publier. Elle les avait déjà envoyés à des dizaines de maisons d'édition. En vain :

« Tu comprends, c'est trop révolutionnaire, assurait-elle. C'est de la lave ce qu'il écrivait. »

Anne Arundel n'apprécia pas du tout *Heremakhonon* pour des raisons différentes.

« Ce n'est pas du tout ainsi que les choses se sont passées », me reprochait-elle.

Pour elle, comme pour la majorité des individus, la littérature n'a guère d'autre valeur que celle d'un cliché instantané, d'une copie conforme. Ils méconnaissent le rôle considérable de l'imagination. Mon « complot des enseignants » n'était pas à la lettre celui que nous avions vécu. Dans *Heremakhonon*, j'avais mis pêle-mêle le souvenir de ma brève rencontre avec Mwalimwana-Sékou Touré à la Présidence de la République, le comportement des élèves du collège de Bellevue et mes propres terreurs lors du coup d'État à Accra.

Sur ces entrefaites, la mère d'Anne étant morte, elle partit se fixer à Noirmoutier et ne me donna plus jamais signe de vie. Littérature et relations d'amitié ne font pas toujours bon ménage. À ma connaissance, les poèmes de Néné Khaly n'ont jamais été publiés. Étaient-ils trop violents ? Anne avait-elle raison ?

Une petite annonce du journal dakarois, *Le Soleil*, m'informa qu'un Institut international de développement nouvellement créé recherchait des traducteurs. Vu mon expérience au Ghana, je m'y fis embaucher sans peine. La paye alignée sur celle des fonctionnaires des Nations-Unies me parut excessive, vu l'état général de misère des habitants. Pourtant, je ne rechignai pas. Mon salaire me permit de m'acheter une 404 grenat dans laquelle je repris mes courses à tombeau ouvert et d'emménager dans une immense villa au Point E, quartier résidentiel et bourgeois.

Dans la villa voisine habitait Mme Bâ, femme généreuse et tendre, aussi différente de moi qu'il était possible de l'être. Quoique l'épouse d'un avocat, elle était fort peu instruite, car mariée très jeune, elle n'avait fait que mettre au monde des enfants. Douze en tout. Je crois qu'à mes yeux, elle symbolisait la mère que je n'avais su être, la maternité dans ce qu'elle comporte de plus noble.

« Être maman, me répétait-elle, c'est un job à plein temps. On ne peut être que cela. »

L'écoutant, j'étais de plus en plus honteuse de ma séparation d'avec Condé, de mes déplacements d'un pays à l'autre, de mes amants qui refusaient de jouer le rôle de père. Je l'admirais. Je souffrais de l'adoration que lui portaient mes enfants. « Super-maman » l'appelait Denis.

Au plan du travail, les déceptions ne tardèrent pas à s'accumuler. À l'Institut du développement, je ne tardai pas à m'aliéner tout le monde. Je l'ai dit, je n'ai aucun goût pour la traduction. Je commençai donc par me disputer avec le correcteur, vieux Français tatillon, las de réécrire mes textes. D'autre part, mes collègues s'irritèrent de mes retards, de mes absences, de ce qu'elles appelaient, à tort ou à raison, mon manque de politesse et mes airs supérieurs. Bref, mon contrat d'essai de trois mois ne fut pas renouvelé. Je n'en souffris pas outre mesure, puisque je n'étais plus à une humiliation près. Pourtant, je devais nourrir toutes ces bouches et ne pouvais constamment emprunter de l'argent à Mme Bâ ou à Eddy. Je pensai donc qu'il était sage de revenir vers l'enseignement que je n'aimais pas non plus, mais qu'au moins, je pratiquais de manière satisfaisante. J'obtins sans difficultés un poste au lycée Charles de Gaulle de Saint-Louis du Sénégal. Malheureusement, les salaires de la Fonction Publique sénégalaise étant dérisoires, je risquais de mourir de faim. Eddy me conseilla donc d'essayer d'obtenir un contrat de la Coopération française qui tout de même payait mieux. Cela signifiait que je devais réendosser ma nationalité française. Je commençai par refuser catégoriquement. Ce passeport guinéen ne m'avait causé que des déboires. Par exemple, mon expulsion du Ghana. Néanmoins, j'en étais venue à y tenir comme le symbole de ma liberté, de mon indépendance des Grands Nègres. Je suivis le conseil d'Eddy, car je ne voulais pas renouer avec ces soucis d'argent que je n'avais que trop connus. Je ne prévoyais hélas pas les visites interminables et incessantes à l'ambassade de France, les humiliations infligées par un petit personnel obtus ou raciste comme l'affirmait Eddy, les explications de ma situation cent fois recommencées.

« Si vous êtes née à la Guadeloupe, pourquoi avez-vous ce passeport ?

— C'est qu'il m'a été donné lors de mon mariage avec un Guinéen.

— Avez-vous en le prenant renoncé par écrit à la nationalité française ?

— Non !

— Il faut le prouver. »

J'allais me décourager quand Sékou Kaba me fit miraculeusement parvenir la précieuse « Attestation de non-répudiation de la nationalité française » qui était exigée. Je paraphai mes documents tout neufs avec un sentiment que je n'arrêtais pas de ressentir : celui de l'échec.

À la mi-septembre, Sylvie revint de Londres. Elle ne s'exprimait qu'en anglais. À la différence de Denis qui refusait de parler de son séjour en Angleterre, elle débordait d'anecdotes plaisantes concernant sa vie avec Dorothy et Walter. Elle était la princesse et traitait ses petites sœurs, Aïcha surtout, comme d'ignorantes « broussardes ». Alors ses relations avec Aïcha, qui avaient toujours été difficiles, devinrent vraiment conflictuelles. Elles se disputaient pour un oui pour un non. Je m'efforçais de considérer ces tensions comme la manifestation de cette inévitable rivalité qui oppose les sœurs d'un âge proche. Néanmoins, j'avais mal quand mes chères petites filles se déchiraient à belles dents. La mort dans l'âme, je fis des adieux déchirants à Mme Bâ, rendis ma villa à son propriétaire et vendis ma belle auto. Puis nous prîmes le train pour Saint-Louis. Je dois à la vérité d'avouer qu'au fond de moi, depuis ma séparation d'avec Kwame, la vie que je menais, et partant la charge que représentaient pour moi les enfants, pesait de plus en plus lourd. J'avais l'impression d'être victime d'une inqualifiable injustice du sort. Pourquoi cette cascade de malheurs s'abattait-elle sur moi ? Je devenais irritable, agressive, partagée entre des sentiments contradictoires.

« Qu'est-ce qui t'arrive ? se plaignait Eddy qui ne me reconnaissait plus. Tu deviens insupportable. »

Le voyage jusqu'à Saint-Louis dura un jour entier dans un wagon inconfortable et caniculaire. La misère des villages que nous traversions était stupéfiante. Celle de la Guinée était-elle pire ? À chaque arrêt, malgré les coups de cravache que leur distribuait généreusement un service de sécurité débordé, des mendiants prenaient d'assaut le train où ils répandaient une odeur épouvantable. On se serait cru aux pires heures du colonialisme.

Le charme de Saint-Louis, la ville des « signares », ces métisses mariées à des Français, est bien connu. On se rappelle l'interprétation de France Zobda dans *Les Caprices d'un fleuve*, le beau film paru en 1996 où jouait également Bernard Giraudeau. Aussi, je ne reviendrai pas là-dessus. Je dirai seulement que j'adorai cette agglomération désuète qui ne ressemblait à aucun des endroits où j'avais vécu. Au serein, quand je me promenais avec les enfants sous le ciel rouge et or, je poussais parfois aussi loin que N'Dar Toute. La paix du lieu m'envahissait et un tenace espoir se levait en moi. J'en étais sûre, le tourment de ma vie allait s'apaiser et j'allais enfin connaître la sérénité.

Pourtant, en dépit des apparences, Saint-Louis, c'était Clochemerle. Le lycée Charles de Gaulle était une énorme caserne qui regroupait des centaines d'élèves, en provenance des localités de la région. Le personnel enseignant appartenait à une espèce particulière. Il était largement composé de Français venus ouvertement « faire du CFA ». On les dénommait des « petits Blancs » et Jean Chatenet prévoyait dans un livre qui connut un certain succès qu'« un jour, ils seraient tous mangés ». Ils ne cachaient pas leur mépris pour le personnel local, des Africains trois fois moins payés qu'eux à service égal, tant à cause de sa couleur que de ses diplômes, prétendument inférieurs. Il y avait bien dans le lot une poignée d'Antillais ayant épousé des Françaises. Je reconnus un mulâtre, un certain Harry, marié à une blonde voluptueuse qui avait été en classe de philo avec moi au lycée Carnot de Pointe-à-Pitre. Lui m'ignora superbement, désireux à l'évidence de faire oublier son origine. Des années plus tard, quand je revins me fixer à la Guadeloupe, je me trouvai assise à côté de lui lors d'un dîner chez des amis. Je lui rappelai moqueusement son attitude d'antan. Il se défendit avec brio :

« C'est que vous faisiez peur à tout le monde. Vous étiez désagréable en diable. Personne ne savait d'où vous veniez. Étiez-vous anglophone ? Étiez-vous francophone ? Vous n'aviez pas de mari, mais une trâlée d'enfants de toutes les couleurs. »

De toutes les couleurs ? Il exagérait ! Il n'y avait que Denis qui était un métis !

La salle des professeurs du lycée reflétait la guerre civile qui opposait les deux catégories d'enseignants. Les Français s'asseyaient sur les sièges confortables en bordure des fenêtres, les Africains là où ils le pouvaient. Les Français riaient, s'entretenaient à voix haute, débordaient d'anecdotes joyeuses qu'ils se lançaient à la tête les uns des autres. Les Africains se taisaient ou chuchotaient dans leurs langues. Peut-être pour les raisons que souligna Harry, personne ne voulait de moi. Je restais généralement debout, solitaire dans un coin, attendant que la cloche indique le moment de rentrer en classe. Trop pauvre pour me payer même une bicyclette, je traversais à pied quatre fois par jour le pont Faidherbe comme mes collègues africains aussi désargentés que moi. Par contre, les coopérants se succédaient au volant de leurs voitures et nous dépassaient sans s'arrêter. Mon cœur se gonflait de rancune. Pourtant, le fait que je sois rejetée et par les coopérants français et par les professeurs africains m'amena à chercher des fréquentations hors de ce cercle. Par l'intermédiaire de mes filles, je fus introduite dans la communauté marocaine.

Il faut savoir qu'à Saint-Louis vit une nombreuse et ancienne communauté de Marocains, héritière des commerçants venus s'installer dans la région depuis le temps de Faidherbe. Nous fûmes d'abord invités à partager le mouton de la Fête de l'Aïd, ensuite à manger le méchoui ou le couscous tous les week-ends. Je m'asseyais par terre sur des nattes au milieu d'une dizaine de convives facétieux et bruyants. J'appris à manger à la main, ce que j'avais toujours refusé en Guinée. Je dégustais mes quatre tasses de thé vert à la menthe. Dans ces réunions, les femmes ne faisaient guère que servir les mets succulents qu'elles avaient passé des heures à préparer. Elles ne tenaient pas le crachoir. Néanmoins, leurs sourires débordants me faisaient chaud au cœur. Je comprenais enfin que les sentiments ne passent pas nécessairement par les paroles.

C'est au cours d'un de ces repas que je fis une connaissance qui devait remédier à ma solitude. Mohammed travaillait avec son aîné, Mansour. À plus de trente ans, je n'avais jamais vécu d'amours « contingentes » comme diraient Sartre et Beauvoir. Mes relations amoureuses avaient toujours eu la violence des drames. Mohammed était jeune, son sourire était lumineux et charmeur comme celui d'un adolescent. Quand je compris ce qu'il désirait, je fus stupéfiée. Je venais d'être tellement humiliée et blessée que je me demandais si j'étais encore une femme, capable de séduire, d'exciter le désir. Je me jetai donc avec emportement dans cette relation d'une certaine manière si neuve. Je renouai avec les satisfactions physiques. J'avais oublié le goût des baisers et des étreintes. J'éprouvais le délicieux sentiment d'être entourée, protégée, car Mohammed était plein d'attentions. Il possédait une Renault 4L et se mettait à mon entière disposition. Désormais, je n'avais plus besoin de traverser à pied le pont Faidherbe quatre fois par jour en suant sous le soleil. Je ne revenais plus du marché en succombant sous le poids de mes paniers. Mohammed était aussi toujours prêt à me servir de guide. Nous visitions la région qui entoure Saint-Louis. Nous roulâmes jusqu'à Richard Toll, à la frontière de la Mauritanie. Un jardin d'essai avait été créé au XIXe siècle sur la rive du fleuve Sénégal par le botaniste français Jean-Michel Claude Richard. Richard avait introduit plus de 3 000 plantes, devenues aujourd'hui usuelles : par exemple, la banane, le manioc, l'orange, la canne à sucre et le café.

Très vite ce relatif bien-être fut obscurci par une ombre. Celle de Denis. Les rares fois où il sortait d'une constante bouderie et consentait à adresser la parole à Mohammed, il était moqueur, méprisant, à peine poli. C'est un fait, Mohammed qui tenait les livres de comptabilité de Mansour, commerçant en sel et en dattes, n'était pas très instruit. À moi, cela convenait parfaitement. Un « intellectuel » m'avait si cruellement échaudée que j'en voulais à l'espèce entière. Mohammed en me contant ses aventures à Fez, Marrakech, ou Istanbul, me distrayait et me faisait rêver. Casbahs, souks, palais aux murs couverts d'azulejos, mosquées centenaires. Denis, qui avait commencé de manifester son intelligence supérieure et son caractère exécrable, l'accablait de questions vachardes auxquelles le malheureux était incapable de répondre. Par exemple, sur l'exil du sultan en Corse, puis à Madagascar, sur les raisons de son retour et ses relations avec les Français.

« Je ne lui en veux pas ! m'assurait Mohammed. Il est jaloux. J'ai passé par là moi-même. Quand ma mère a divorcé d'avec mon père qui la battait et la trompait sous ses yeux avec ses servantes, je n'ai pas pu supporter l'homme avec qui elle s'est remariée. »

Aussi, il redoublait de douceur tandis que Denis redoublait ses insolences. Un jour où ce dernier avait été particulièrement odieux, je pris mon courage à deux mains et je lui reprochai son comportement.

« Il n'est pas digne de toi ! souffla-t-il avec fièvre. C'est un vaurien.

— Que sais-tu de lui pour affirmer pareille chose ? » fis-je avec douceur.

J'eus beau insister, il ne voulut rien me dire de plus.

Au deuxième étage de l'immeuble que j'habitais, vivaient quatre jeunes Anglaises et une Irlandaise rousse flamboyante. Elles appartenaient à une Association des Nations-Unies et enseignaient dans des écoles primaires. Nous devînmes très vite amies. Non seulement nous venions de passer plus d'un an à Londres, en outre, pour les petites, Sylvie surtout (car Denis ne sut jamais le maîtriser), l'anglais demeurait la seule vraie langue. Nous nous réunissions fréquemment pour boire du thé, manger des scones ou des muffins. Elles adoraient l'Afrique qui était pour elles une terre d'enfants déshérités qu'elles rêvaient de choyer. Elles les réunissaient pour goûter, leur apprenaient des jeux, des comptines de chez elles :

« Ba, ba, black sheep
Have you any wool ?
Yes, sir. Yes sir. Three bags full. »

J'étais particulièrement intime avec Ann, l'Irlandaise. Nous faisions de longues promenades ensemble et elle me parlait avec nostalgie de son ami, Richard Philcox, qui enseignait à Kaolack, trop loin d'elle. À Saint-Louis, nous ne manquions pas totalement de plaisirs artistiques. Nous assistions à de nombreux concerts en plein air de musique traditionnelle. Les grands acteurs haïtiens, amis de Roger Dorsinville, Jacqueline et Lucien Lemoine, vinrent jouer du Bernard Dadié, un auteur ivoirien dans la salle des fêtes de la mairie. Pour célébrer le 4 juillet, les services culturels américains projetèrent le film *Autant en emporte le vent* que je revis avec plaisir. Si les filles furent transportées par le romantisme torride de l'histoire, Denis dénonça la piètre image qu'il donnait des Noirs, image encore accentuée par un doublage inepte. Je me réjouis de le voir si critique, si lucide et articulé tout en prévoyant les problèmes que son attitude allait soulever. En bref, une sorte de bonheur imparfait, sans prétention, marchant cahin-caha s'était installé.

Cependant mes projets d'écriture n'étaient pas enterrés, loin de là. Bien souvent je refusais de passer la nuit avec Mohammed qui ne comprenait pas pourquoi je préférais m'enfermer seule pour taper sur une machine à écrire. Je n'arrêtais pas de corriger ce qui allait devenir mon roman *Heremakhonon*. À mon insu, le texte avait changé de nature. Ce n'était plus un simple récit inspiré de mes expériences personnelles. J'étais devenue plus ambitieuse. Je m'étais mise à gommer les spécificités qui auraient pu rattacher mes héros à des modèles simplement humains et identifiables. J'entendais donner au choix de l'héroïne, Véronica, une portée symbolique plus large. Ibrahima Sory, le « Nègre avec aïeux » et Saliou, le militant, devenaient les symboles des deux Afriques qui se combattaient : celle des dictateurs et celle des patriotes. En bref, celle de Sékou Touré et celle d'Hamilcar Cabral. Une telle ambition éclaire une phrase qui m'a si souvent été reprochée parce que mal comprise, celle de Véronica, maîtresse de Ibrahima Sory :

« Je me suis trompée d'aïeux. J'ai cherché mon salut parmi des assassins. »

Ayant appris qu'Ellen Wright, la veuve de Richard, que j'avais croisée fréquemment à Accra chez les Genoud, était agent littéraire à Paris, je remuai ciel et terre pour me procurer son adresse. J'avais l'intention de lui faire lire mon manuscrit et si elle en était d'accord, de la prier de chercher un éditeur. Pourtant quand j'obtins ses coordonnées, transie de peur, je n'en fis rien.

Mariama Bâ m'a raconté qu'elle n'aurait jamais publié *Une si longue lettre*, si des parents travaillant aux Nouvelles Éditions africaines ne s'étaient emparés de son texte. Je suis persuadée que si mon ami Stanislas Adotevi ne m'avait pas forcé la main, *Heremakhonon* non plus n'aurait jamais vu le jour. Stanislas Adotevi dirigeait la collection « La voix des autres » chez 10/18 de Christian Bourgois et s'amouracha du roman.

C'est alors que je reçus un pli officiel. J'avais appris à me méfier de ces lourdes enveloppes brunes. Je savais qu'elles ne présageaient jamais rien de positif. La première qui m'avait été adressée m'avait lancée dans ma carrière africaine. La seconde m'avait renvoyée de Winneba. La troisième d'une importance plus considérable encore m'avait invitée à revenir au Ghana, avec les conséquences désastreuses que l'on sait. Celle-là provenait de la Coopération française. Elle m'informait que ma candidature avait été acceptée par le ministère à Paris. Le problème était que j'étais affectée au lycée Gaston Berger de Kaolack dans la région du Sine Saloum. Je devais rejoindre mon poste pour la rentrée fixée au 5 janvier. Mon premier mouvement fut de refuser cette offre. L'accepter impliquait d'abord que je me sépare d'avec Mohammed, mais surtout que je perpétuais le cycle des transplantations et des déracinements. Une fois de plus, mes enfants perdraient leurs amis et leurs habitudes seraient bouleversées. En même temps, pouvais-je être insensible au fait que le salaire proposé par la Coopération représentait le triple du salaire local que je percevais ? Mohammed et mes amis marocains firent tout ce qui était en leur pouvoir pour me décourager. À les entendre, Kaolack était un horrible trou, plein de mouches et de maladies, le point le plus étouffant du Sénégal. La température moyenne s'y élevait de jour comme de nuit à 45 degrés. Le fluor de l'eau noircissait les dents des enfants.

Ann, l'Irlandaise, jugea que la vie était décidément mal faite. Pourquoi n'était-ce pas elle qui était nommée à Kaolack ?

Finalement, Mohammed emprunta la camionnette de son frère Mansour, y empila enfants et valises et entama les 456 kilomètres qui nous séparaient de Kaolack. J'avais le cœur gros. Le jour n'était pas encore levé et la petite ville dormait encore. Les premiers maraîchers poussaient leurs chariots le long du pont

Faidherbe, noyé de brumes. Ce devait être une de mes dernières randonnées en Afrique.

Que me réservait demain ?

Nous arrivâmes à Kaolack au début de l'après-midi et je fus atterrée. Fidèles au rendez-vous, les mouches bourdonnaient partout. Elles se posaient sur les lèvres, les yeux, les joues, entraient dans les narines. La chaleur dépassait tout ce que j'avais jamais connu et les vêtements collaient au corps. Le service du logement m'avait attribué une enfilade de pièces sombres et sans air au-dessus d'une dibiterie. J'allai inscrire les filles dans une série de bicoques en préfabriqué qui tenait lieu d'école primaire et où Sylvie jura tout net qu'elle ne mettrait jamais les pieds.

Surprise ! Quoique simple, du poulet grillé et des pommes de terre, le repas qui nous fut servi à l'Hôtel de Paris fut bon. Deux Françaises assises à une table voisine commencèrent par s'intéresser aux filles :

« Qu'elles sont mignonnes ! firent-elles. C'est à vous tout ce monde ? »

Puis, rapprochant leurs chaises, elles s'assirent à notre table pour partager le café. Elles étaient toutes les deux médecins pour le compte de l'OMS :

« Vous verrez, ce n'est pas aussi mal que cela en a l'air ! m'assurèrent-elles. On n'est pas très loin de Dakar ni surtout de Bathurst en Gambie qui est une petite ville très agréable. Et puis, la région est intéressante : les salines. Pour ça oui, il y fait chaud ! »

Pourtant, il restait une dernière station à mon chemin de croix. Comme, le dîner terminé, nous nous étions retirés dans une chambre au premier étage de l'Hôtel de Paris, Mohammed s'allongea sur le lit. Avec désinvolture, il m'informa que la semaine suivante, il se mariait. Quoi ! Étais-je condamnée à revivre encore et encore la même scène ? Devant la violence de ma réaction, il m'assura que rien ne serait changé entre nous :

« J'épouse Rachida pour faire plaisir à Mansour, à la famille. Je n'éprouve rien pour elle. Nous ferons des enfants. Beaucoup de garçons surtout. »

Le cynisme d'une pareille déclaration me parut une insulte suprême et à moi et à celle qu'il s'apprêtait à épouser. À onze heures du soir, je jetai Mohammed sur le palier.

Ce fut la dernière fois que je pleurai à cause d'un homme. Bientôt des préoccupations d'une nature totalement différente allaient m'investir.

Je m'éveillai le lendemain sans aucune prémonition. Le ciel pesait bas et lourd, comme toujours à Kaolack. Les mouches étaient déjà à leur affaire et s'insinuaient partout. Je conduisis mes enfants à leur école et séchai leurs larmes tant bien que mal. Puis je me rendis au lieu de mon affectation, le lycée Gaston Berger. C'était une bâtisse longiforme sans caractère. La salle des professeurs bourdonnait comme une ruche. À la différence du lycée Charles de Gaulle où la plupart des enseignants étaient des expatriés, la majorité des professeurs était composée d'Africains, à l'exception d'un trio de jeunes Blancs assis seuls à une table. À ma vue, l'un d'eux se leva et s'approcha vivement :

« C'est toi Maryse ? Je suis Richard », fit-il avec un fort accent anglais.

C'était là le petit ami d'Ann qui, serviable, l'avait prévenu de mon arrivée à Kaolack. Il était beau, très beau même avec ses grands yeux marron clair dans un visage hâlé. J'avoue que ce tutoiement des plus prématurés me choqua venant d'un parfait inconnu, d'apparence si jeune, certainement plus jeune que moi. Puis je pensai que cet anglophone se débattait, comme cela arrive fréquemment, avec la complexité des pronoms personnels français. Je ne compris pas qu'il établissait d'emblée un lien d'intimité entre nous. Il était celui qui allait changer ma vie. Il allait me ramener en Europe puis en Guadeloupe. Nous découvririons l'Amérique ensemble. Il m'aiderait à me séparer en douceur de mes enfants le temps de reprendre mes études. Surtout, grâce à lui, je commencerais ma carrière d'écrivain.

L'Afrique enfin domptée se métamorphoserait et se coulerait, soumise, dans les replis de mon imaginaire. Elle ne serait plus que la matière de nombreuses fictions.